아름다운
숲을 닮은
배움공동체

아름다운 숲을 닮은 배움공동체

초판 1쇄 발행 2022년 8월 29일

지은이 | 김덕년

발행 | 케렌시아
인쇄 | (주)다해씨앤피
일원화 구입처 | 031-407-6368 (주)태양서적
등록 | 2021년 11월 18일 (제386-2021-000096호)
이메일 | niceheo76@gmail.com

ISBN 979-11-976811-3-4 (03370)

한 아름 끌어안아 나다운 큰 숲을 닮은 인창고 이야기

아름다운
숲을 닮은
배움공동체

김덕년 지음

케렌시아

시작하며

처음 인창고로 가는 길에 폭우를 만났습니다. 두려움과 설렘이 교차하는 제 심정을 고스란히 보여주듯이 운전하는 내내 시야를 방해했습니다. 그때가 2018년 6월이었습니다. 공모 교장을 지원하고 면접을 보는 날이었습니다. 편하게 임하자고 다짐했지만, 그래도 떨리는 마음은 어쩔 수 없었습니다.

사실 인창고는 갑자기 제 삶에 '훅' 들어왔습니다.

"이번에 인창고가 교장 공모를 한다고 하네요. 지원해 보세요."

교육정책의 실현 방안을 고민하고 현장에서 실천할 수 있도록 지원하는 일을 함께 고민하며 서로 신뢰 관계가 형성된 옆자리 선생님이 말씀하셨습니다.

"교장 공모라고요?"

당시 저는 제 진로에 대해 한창 고민하고 있었습니다. 그래도 교장 공모는 생각도 못 한 일이었습니다. 당연히 그럴 깜냥도 갖추지 못했다며 거절했지만, 선생님은 며칠 동안 저에게 권하셨습니다.

"무엇보다도 선생님은 현장의 실천을 끌어내시잖아요. '교육과정-수업-평가기록 일체화'라는 책을 쓰고, 선생님들과 함께 현장에서 그걸 실천하는 모습으로도 충분히 역량이 됩니다. 교사들과 함께 실천하는 리더 모델을 만들 수 있을 것 같아요."

이 말씀이 저를 움직였습니다.

임명장을 받고 저는 이렇게 생각했습니다.
'인창고에 스며들어야겠다.'

화선지에 먹물이 스며들 듯이 튀지 않고 함께 어울려 멋진 그림을 이루자는 의미였지요. 그래서 조용히 왔다가 4년 뒤에 흔적도 없이 떠나자는 것이었습니다. 교육청을 나오는 마지막 날, 제 삶의 흔적을 달랑 A4 용지 상자 하나에 담아 나오며 새 학교를 떠나는 그 어느 날에도 이렇게 내 흔적은 사라지고 오직 아이들과 우리 선생님만 남을 수 있기를 기도했습니다.

드디어 2018년 9월 3일.

취임 첫날이라는 이유로 학생들과 교직원들을 모아 취임식을 하며 번잡하게 하기 싫었습니다. 그래서 교감 선생님께 조용히 시작하고 싶다고 말씀드렸습니다. 부장 선생님들과 쉬는 시간에 잠깐 인사를 나눈 게 전부였습니다.

그러고 나서 학교를 둘러보았습니다. 건물은 낡고 어둡기는 했지만 깨끗한 편이었습니다. 학생들이 복도 벽에 그린 그림이 다정하게 다가왔습니다. 지하실에서 옥상까지 두루 살펴보고 나서야 비로소 무거운 책임감을 느꼈습니다. 마음을 얻는 일이 우선이라고 생각했습니다.

그렇게 시간이 지나자 쪽지가 하나 날아왔습니다. 조심스럽게 저를 지켜본 우리 학교 선생님이 보내신 글이었습니다.

'연착륙은 잘하신 것 같습니다. 우리 선생님들이 자기 능력을 잘 발휘할 수 있도록 이끌어 주세요.'

이 글은 제게 큰 힘이 되었습니다. 아는 사람이라고는 하나 없는 곳에 홀로 던져진 상태라 무엇을, 어디서, 어떻게 해야 할지 갈팡질팡하고 있었거든요. 미로 같은 학교 건물 안에서 종종 길을 잃었던 것처럼 일관성도 없고, 흔들리기도 했지요. 이 말씀에 힘을 얻었습니다.

그제야 사람들이 제대로 눈에 들어오기 시작했습니다. 애당초 '혼자'였기에 더 '함께'하려고 했던 것 같습니다. 사소한 일이라도 함께 결정하고 함께 실천했습니다. 교장실 문을 열었고, 학생들과 소통할 수 있는 방법을 찾아보며 한 발 한 발 인창고 속으로 스며들었습니다.

'휘게의 시간'을 의도적으로 가지려고 했습니다. 휘게(hygge)란 덴마크 사람들이 가족이나 친구와 함께 또는 혼자서 보내는 소박하고 여유로운 시간, 일상 속의 소소한 즐거움이나 안락함에서 오는 행복을 의미하는 말입니다. 덴마크를 공부하다가 배운 덴마크인의 삶의 방식입니다. 저도 하루에 5분에서 1시간 정도는 꼭 이 시간을 누리려고 노력했죠. 이 시간에는 조용히 하루를 기록하고 성찰하거나 독서와 음악 감상 등을 했습니다. 그런데 이 시간이 4년을 참 풍성하게 만들었습니다. 한 발 빗겨 서서 저를 살펴볼 수 있었거든요.

여기 모은 글은 대부분 휘게의 산물입니다.

의도하지는 않았지만, 인창고에서 보낸 4년의 기록이 되었네요.

1,461일! 결코 짧지 않은 기간을 참 소중한 분들과 함께했습니다. 학생들의 교육활동을 함께 디자인했던 우리 선생님들. 그리고 교육

활동이 잘 이루어질 수 있도록 아낌없이 지원해 주신 행정실, 급식실, 야구부 선생님들까지 모두 다 특별하고 고마운 분들입니다. 진심으로 감사 인사드립니다.

언제나 지지해 주신 학부모님들께도 특별한 감사를 드립니다. 학부모님들은 우리 인창고의 든든한 언덕이셨습니다. 학교를 운영하는 주체로 기꺼이 참여해 주시고 우리 학교의 일원이라는 걸 자랑스러워하셨지요.

그리고 가장 소중한 우리 인창고 졸업생과 재학생들. 여러분과 함께했던 많은 시간의 기억은 언제나 소중하게 간직할게요. 저에게는 모두가 천사였어요. 고마워요.

이 글은 심심할 때 아무 곳이나 펴서 읽어도 괜찮습니다. 하나하나의 기록이 다 독립되어 있기 때문입니다.

한 사람이 어떻게 스며들고, 학교 문화를 만들어 갔는지 궁금하시다면 전부를 시간 순서대로 꼼꼼히 읽어 보시기를 권합니다. 학교 문화는 하루아침에 이루어지지 않기 때문입니다.

교육정책이 학교 현장에서 구현되는 아이디어가 궁금하신가요? '자율, 소통, 토론, 조화'를 운영원리로 학교 안에서 민주적인 소통이 이루어지는 과정을 통해 모든 구성원이 아이디어를 내고 그걸 실현하는 과정을 살펴보고 싶은가요? 이 글에 등장하는 사람들의 모습을 살펴보시기 바랍니다. 모두가 주체적으로 움직이고 있습니다.

자, 이제 우리는 4년 전 처음 만난 그날로 돌아갑니다.

차례

새벽어둠이 아직 가시지 않았습니다.

그래도 머리는 맑습니다.

새벽에 듣는 음악으로 마음이 평화롭습니다.

이 평화 함께 나눕니다.

저에게도 서둘러 가고 싶은 곳이 생겼습니다.

늘 뵙고 싶은 분들이 곁에 있습니다.

이런 곳에 오게 되어 너무나 좋습니다.

서둘러 가고 싶은 곳이 생겼습니다

　이렇게 밝고 친절한 선생님들이 모여 계신 곳에 함께할 수 있어 너무나도 행복합니다. 오고 싶은 곳, 만나고 싶은 사람, 머무르고 싶은 공간…. 우리 인창고는 이러한 곳일 거라는 예감이 듭니다. 학생들도 스스럼없이 다가옵니다. 하루 겨우 지났지만, 우리 학교 안에 넘치는 에너지를 느낄 수 있습니다.

　사람들은 누구나 자기 색깔이 있죠. 우리 인창고는 참 다양한 색깔이 어우러져 인창고만의 특별한 문화를 느낄 수 있어 참 좋습니다. 반짝반짝 빛나는 보석 같은 사람들이 모여 있기에 이제는 세상에 알려야 할 일만 남았습니다.

　오늘은 우리 학교 주변 분들을 찾아다니며 인사드릴 예정입니다. 인창중학교, 구리청소년수련관, 구리도서관, 인창동경찰지구대…. 그런데 굳이 이렇게 다니지 않아도 교장실을 방문하시는 외부인과 전화를 주시는 분이 많습니다. 그분들을 만나면 어느새 인창고 전도사가 된 저를 발견합니다.

　"자랑할 것이 너무 많습니다."

자신의 꿈을 이룰 수 있도록 진행되는 많은 교육 프로그램, 자체적으로 진행되는 수업나눔, 교육과정-수업-평가-기록이 일체화되어 이제는 우리들의 삶을 기록하고자 하는 생각이 꿈틀거리는 곳이 우리 학교이거든요.

무엇보다도 학교의 수많은 일을 자율적이며 끊임없는 협의를 통해 진행하는 모습은 매우 존경스럽고 배울 점이었습니다. 혁신교육이 도입된 지가 10년인 경기도는 물론이고, 전국 모든 고등학교에 자랑하고 싶었습니다. 이런 곳에 제가 할 수 있는 일이 무엇이 있을까 많은 생각을 했던 한 주였습니다.

- 어떻게 이 학생들을 드러나게 할 수 있을까?
- 어떻게 수업에 집중하게 할 수 있을까?
- 어떻게 삐져나온 못과 같은 걸림돌을 치울 수 있을까?
- 어떻게 공간을 효율적으로 사용할 수 있을까?
- 어떻게 구슬처럼 떨어진 수많은 프로그램을 한 줄로 꿸 수 있을까?
- 아이들의 변화는 그냥 오지 않습니다. 곳곳에 세심하게 배어있는 선생님들의 수고로움을 봅니다. 이를 더욱 활기차게 할 수는 없을까?
- 그리고 성장 과정에 맞추어 체계적인 진로탐색 과정을 만들어 갈 수 있을까?
- 2019 신입생의 교육과정은 어떻게 더 다양화할 수 있을까?
- 이 모든 것을 대학과 세상에 어떻게 알릴까?

첫날, 선생님들께 인사하며 이런 말씀을 드렸습니다.

"4년 뒤, 저는 사라지고 인창고에는 우리 선생님들과 학생들만 남기를 바랍니다."

이 말씀은 집단지성으로 우리 인창고만의 학교문화를 만들어 가면 좋겠다는 의미입니다.

저는 참 많은 단점이 있습니다만, 그중에서도 으뜸은 쉽게 설득당한다는 겁니다(^^). 흔히 귀가 얇다고 하죠. 그렇구나, 그렇구나 하다 보면 어느새 그 의견에 빠져들고 있죠.

교장실 구조가 개방적이지 않은 점에 참 답답했습니다. 교실과 떨어져 있고 선생님들과도 쉽게 만날 수 있는 곳이 아닙니다. 그래서 문이라도 활짝 열어 놓으려고 합니다. 그리고 쪽지를 비롯한 다양한 방법으로 소통의 길을 열어 놓겠습니다. 커피도 늘 내려놓겠습니다. 쉬러 오셔도 좋고요, 힘든 일 나누셔도 좋습니다. 혼자 오셔도 좋고, 여럿이 오셔도 좋습니다. 우리 함께 있는 동안은 무엇이든 '표현'하면 좋겠습니다.

새벽어둠이 아직 가시지 않았습니다. 그래도 머리는 맑습니다. 새벽에 듣는 음악으로 마음이 평화롭습니다. 이 평화 함께 나눕니다.
저에게도 서둘러 가고 싶은 곳이 생겼습니다. 늘 뵙고 싶은 분들이 곁에 있습니다. 이런 곳에 오게 되어 너무나 좋습니다.

스며들다

2주가 어떻게 지났는지 모르겠습니다. 아내는 그사이 난꽃을 피워 놓았더군요. 향이 그렇게도 진한데 전혀 모르고 있었으니 참 여유가 없었네요. 물 스미듯 인창고에 물들어가는 저를 발견합니다.

교장실 문이 열립니다. "선생님, 이거 제가 처음 만든 거예요." 자신의 첫 작품이라며 조심스럽게 커피 한 잔을 들고 옵니다. 통합반 아이들이 수업 시간에 만든 작품이라네요. 제 마음이 활짝 열렸습니다.

학교에는 조금 일찍 도착하는 편입니다. 한두 녀석이 도서관으로 가기에 따라갔습니다. '독서마라톤'에 참여하는 아이들입니다. 너무나도 조용해 숨죽이며 한참 바라보다가 사서 선생님과 눈인사하고는 돌아섰습니다. 곧 저도 저 속에 들어가 있을 것 같은 예감이 듭니다.

　산책길을 발견했습니다. 아마도 이 길을 자주 걸을 듯합니다. 저기에 아이들 작품을 걸고, 여기저기 아이들이 앉아 이야기를 나눌 수 있도록 다듬을 생각입니다. 과수가 참 많더군요. 아이들, 선생님과 함께 학교 공간에 대해서도 이야기 나누려 합니다.

　중앙 현관에 있는 소공연장입니다. 아이들이 마음껏 이용합니다. 지금까지 제가 본 인창고 아이들은 참 자율적입니다. 이런 분위기는 제가 오기 전부터 우리 학교에 계신 모든 분이 만들어 오신 거겠지요. 이제 곧 10월 1일에 덴마크 친구들이 방문할 텐데, 그러면 이곳 소공연장은 K-POP으로 넘치겠지요.

무슨 비밀의 정원으로 가는 길 같지요. 여기를 지나 더 들어가면 정말 비밀의 정원이 나옵니다. 아마도 깜짝 놀라실걸요. 전부 우리 친구들이 가꾸고 있다네요. 운동장 한구석에는 밭을 만들어 씨를 뿌렸던데 과연 잘 키워낼까요? 저도 궁금해요.

우리 학교는 교과 교실로 이용하는 교실이 많아요. 방과 후에는 아이들이 자유롭게 이용하며 자기 공부를 하는데, 1학년 두 모둠이 무언가 열심히 하기에 들어가 보았죠. "무얼 이렇게 열심히 할까?" 세포를 관찰한다고 합니다. 토론하며 방법을 찾아가는 아이들이 너무나 예뻐 뒷모습을 사진에 담아봅니다.

우리 학교는 덴마크 학교와 국
제교류를 합니다. 그런데 사전
준비가 치밀합니다. 덴마크 아이
들의 방문을 앞두고 덴마크에 관
한 이야기를 쓰신 오연호 선생을
초청하였습니다. 학생들은 강연
을 듣고 질문을 합니다. 한 학생
이 매우 수준 높은 질문을 하고 있습니다.

오연호 선생께 사인을 받은 한 친구가 뿌듯한 마음에 앞에 계신 선
생님께 자랑합니다. 덴마크 아이들이 행복하다고요? 우리 아이들도
행복하면 좋겠네요.

우리 아이들 모두가 꽃입니다. 우리 인창고는 '아름다운 숲을 닮은
우리들의 배움공동체'를 꿈꿉니다. 하나하나가 모여 숲이 되지요. 이
제 그 속에 저도 들어갑니다. 저는 이 숲에서 어떻게 성장할까요? 다
음을 기대하세요.^^

학교장 편지

안녕하세요?
저는 9월 1일 자로 공모교장으로 인창고에 온 김덕년입니다.
이제야 제대로 인사드립니다.

그동안 우리 학교에서 학생들이 성장할 수 있도록 이끌어 주시는
선생님들을 뵙고, 학생들과 인사를 나누고, 그리고 학교와 나란히 있
으면서 도와주시는 여러 기관을 방문하였습니다.

얼마 전에는 '학교회계'를 주제로 경기도교육연수원에서 공부하
고 왔습니다. 학교장으로서 학교 예산은 어떻게 사용해야 하는지,
시설물은 어떻게 관리해야 하는지를 배우는 시간이었습니다. 잘 익
혀 우리 학교의 예산과 시설물을 '교육과정' 중심으로 재구조화하겠
습니다.

물 스미듯 조금씩 인창고 가족이 되어가는 저를 발견합니다. 어느
새 자연스럽게 '우리'라는 단어를 쓰네요. 우리 학교, 우리 학생, 우리
선생님, 우리 학부모님 이렇게 말이죠.

저는 이런 학교를 꿈꿉니다.

첫째는 학업역량이 뛰어난 인창고 학생입니다.

학업역량이란 학업을 충실히 수행할 수 있는 기초 능력을 뜻합니다. 최근 대학과 우리 사회는 단순하게 점수만 높은 학생을 원하지 않습니다. 고등학교에서 쌓은 학업역량을 바탕으로 스스로 리더십을 발휘하는 인재를 원하죠. 학업역량은 교과의 성취 수준이나 학업적 발전의 정도를 의미하는 학업성취도, 학업을 수행하고자 하는 의지와 태도, 학습 계획을 수립, 실행하는 과정인 학업태도와 학업 의지, 그리고 어떤 대상에 호기심을 가지고 폭넓게 탐구할 수 있는 능력인 탐구활동을 종합한 역량을 말합니다. 그래서 대학입시나 취업 시험에서 학업역량이 우수한 학생을 선호하고 있습니다.

저는 우리 학교에서 충실하게 교육과정을 이수한 학생이라면 학업역량이 뛰어난 인재가 될 수 있도록 교육과정을 다시 살펴보려 합니다. 우리 인창고 학생들이 이 사회에서 소중한 인재가 될 수 있도록 하겠습니다.

둘째는 학생들이 학업역량을 잘 기를 수 있도록 하는 전문적인 교사공동체를 꿈꿉니다.

교사들의 전문성이란 '교육과정-수업-평가-기록 일체화'를 바탕으로 합니다. 인창고 학생들의 상황을 고려하여 교육과정을 구성하고 이를 중심으로 개별 학생들이 지식 습득과 활동을 병행한 수업을 진행합니다. 그리고 학생들이 무엇을 얼마나 알고 있는가를 평가하고 이를 학생부 기록으로 담아내는 과정이 바로 '교육과정-수업-평가-기록 일체화'입니다. 우리 학교 선생님들은 한결같이 학생들을 중심에 두고 계시더군요. 학생들이 자신의 꿈을 키워갈 수 있도록 열정으로 보살펴 주십니다.

저는 우리 선생님들이 학생 모두가 성취를 이룰 수 있는 수업을 하시길 원합니다. 한발 더 나아가 학생들의 학업역량을 기르는 데 전문성을 발휘하도록 마당(場)을 만들고자 합니다.

셋째는 정규교육과정 교육활동 중심으로 인창고가 공교육의 역할을 충실하게 하는 꿈입니다.

이미 교육부는 2022년 대학입시 개정안에서 학교생활기록부를 학교 내 정규교육과정 교육활동 중심으로 기록하겠다고 발표했습니다. 그리고 학생부의 주요 항목 중 창체특기사항과 행동특성종합의견의 글자 기재 수를 4,000자에서 2,200자로 줄였습니다. 그러나 학생들의 수업에 대한 기록인 교과세부특기사항에 대해서는 언급이 없습니다. 무슨 의미일까요?

우리 학교 학생들은 일주일에 34시간 정도 수업을 합니다. 대부분 교과수업이고 금요일 오후에 창체활동을 합니다. 정규교육과정에서 교과수업은 매우 중요합니다. 교과수업을 잘해야만 학업역량이 올라가고, 진학에서도 좋은 결과를 얻을 수 있습니다.

저는 우리 학교에서 실시하는 다양한 수업활동(거꾸로수업, 하브루타, 프로젝트 수업 등)으로 지식과 활동이 잘 조화를 이루어 교육과정에서 요구하는 성취수준에 도달할 수 있도록 하고자 합니다. 우리의 장점을 더욱 발전시켜 모름지기 인창고가 학부모와 지역사회에서 신뢰받는 공교육 역할을 다하고자 합니다.

마지막으로 학생, 학부모, 교사, 지역사회가 긴밀하게 협력하는 인창교육공동체를 꿈꿉니다.

우리 학교는 '아름다운 숲을 닮은 우리들의 배움공동체'를 지향하고 있습니다. 한 학생을 키우기 위해 온 마을이 힘을 합해야 한다고 합니다. 소중한 우리 아이들이 잘 성장하여 이 세상에서 당당하게 서게 하려면 교사, 학부모 그리고 지역이 함께 고민해야 합니다. 뿐만 아니라 인근의 초, 중, 고가 연계한다면 학생들의 성장을 도와줄 수 있을 것입니다.

저는 학교 안에서 교직원들이 학생들의 학업역량을 키우기 위해 집중하고, 학부모들께는 학생들의 성장을 확인할 수 있고, 언제나 함께 교육과정 운영에 참여할 수 있도록 하겠습니다. 이를 통해 학생들이 주도적으로 교육과정을 만들고 선택할 수 있도록 하고자 합니다. 나아가 지역사회와 연대하여 쾌적한 교육환경 속에서 우리 학생들이 좋은 교육을 받을 수 있도록 하고자 합니다.

이 꿈은 이렇게 이루겠습니다.

1. 당장은 이미 계획하고 진행하는 학사를 학생들이 구체적으로 학업역량을 키울 수 있도록 협의하고 진행하겠습니다.
2. 그리고 내년에는 모든 공동체가 함께 머리를 맞대고 앞에서 제가 꿈꾸는 인창고의 모습을 실현하기 위해 한 걸음 한 걸음 나아가겠습니다.
3. 무엇보다도 우리 학교에 다니는 학생들이 즐겁고 쾌적하게 생활하는 '오고 싶은 학교'가 될 수 있도록 하겠습니다.

첫 글인데 너무 길었습니다. 드리고 싶은 말씀이 많네요. 차근차근 내실을 다지면서 우리 학생들에게 관심을 기울이고 선생님, 학부모님들과 늘 소통하고 싶습니다.

한가위 명절 미리 인사드립니다. 오가는 길 내내 평안하시고 가족들과 함께하는 시간이 행복하시길 빕니다. 우리 학생들도 가족의 따뜻함을 즐길 수 있는 시간이 되길 빕니다.

종종 편지 드리겠습니다. 감사합니다.

아이들의 눈적

중앙 현관 작은 무대 앞은 다양한 토론이 벌어지는 곳입니다. 평양에서 두 정상이 만나는 날 점심시간, 교사와 아이들이 자유롭게 어우러져 방송을 지켜보며 토론을 합니다. 화면으로 빨려 들어갈 것 같은 저 아이는 무슨 생각을 하고 있을까요?

같은 시간 또 다른 아이들은 운동장에 시선을 집중합니다. 학급 대항 스포츠클럽대회가 한창 진행되는 중이라 저마다 응원하는 팀을 향해 목소리를 높입니다. 구령대는 이미 아이들 차지입니다. 긴 의자만 달랑 가져다 두었지만, 그래도 아이들은 잘 활용하네요.

"아이들이 많이 줄었죠."

저에게는 책을 집중해 읽는 예쁜 아이들만 보이는데 담당 선생님은 아이들이 줄어 미안하다고 합니다. 아이들이 열심히 책을 읽을 수 있도록 마당을 열어 주셔서 제가 오히려 감사하는데 말이죠.

교정 곳곳에서 아이들의 흔적을 발견합니다. 미완성이라는데 제 눈에는 이대로 생동감이 넘칩니다. 처음 이 그림을 그리면서 아이는 어떤 마음이었을까요? 지금은 또 어떤 마음일까요? 이 그림을 보는 다른 친구들은 무슨 생각을 할까요?

저는 교실과 복도, 또는 교정 곳곳에 우리 아이들의 흔적이 고스란히 남아 있으면 좋겠다는 생각을 합니다. 자기 성과물을 보면서 조금이라도 더 자신감을 갖고 세상을 당당하게 살아가는 밑거름이 되면 좋겠습니다.

복도 몇 군데에 이런 결과물이 놓여 있습니다. 물론, 아이들이 실제로 사용하고 있고요.

"아이들이 만들어 조잡하기는 하지만, 그래도 그 자체로 의미가 있어 그대로 복도에 놓았어요. 학생들이 잘 사용하고 있습니다."

"네, 그래요. 수업 시간에 만들고 그걸 실제 사용하니 참 좋네요. 앞으로도 이렇게 많이 해주시면 좋겠습니다."

아이들이 제작한 수업 결과물을 전시하고 계신 선생님과 주고받은 대화입니다.

잘했든 그렇지 않든 이렇게 전시한 결과물만으로도 아이들이 자신감을 가지면 좋겠다는 선생님의 마음이 그대로 보입니다.

3학년 교실 쉬는 시간입니다. 좁은 틈으로 아이들의 비장함이 보입니다. 10월은 수시가 진행되며, 동시에 수능도 대비해야 합니다.

'힘내요, 당신!!'

제가 학생들에게 할 수 있는 유일한 응원입니다.

라면을 끓이는 그림이라고요? 아니에요. 여긴 실험실, 알코올램프로 무언가를 가열하는 그림입니다. 특별실 유리창에는 아이들이 그린 그림이 아기자기하게 있습니다. 교사들이 자신을 드러내기보다는 학생들의 흔적을 남기는 학교. 인창고가 바로 그런 학교입니다.

"저희 수확동아리인데요."

"수학동아리?"

'수확'을 '수학'으로 잘못 들은 저 때문에 한바탕 큰 웃음이 일어났네요. 너무나도 예쁜 첫 수확물을 저에게 선물로 주는 아이들 덕분에 참 행복했습니다. 소확행이 별건가요. 이런 게 소확행이죠.

그림을 보니 2011년에 학생이 그렸네요. 우리 인창고에는 지금도 수많은 아이들이 새로운 흔적을 남깁니다.

덴마크 아이들과 함께한 동아리 활동

　드디어 정문에 현수막이 걸렸습니다. 오늘은 덴마크 아이들이 우리 학교 아이들과 동아리 활동을 하는 날입니다. 7, 8월에 관련 책을 읽었고, 9월에는 오연호 선생을 모셔서 덴마크 이야기도 들었습니다.

　류슨스틴 학생들은 고1인 2016년에 '한국반'으로 편성되어, 3학년인 지금 한국을 방문하게 되었답니다. 이 학교는 15개의 나라와 연관된 교육과정이 있습니다. 그중 한국반은 주제탐구로 한국을 배우고 이렇게 3학년 때는 한국을 방문합니다.

  철저하게 아이들이 기획하고 진행하는 모습을 보고 싶었습니다. 그래서 격식을 갖춘 학교장의 환영사 같은 것은 모두 생략하고 학생들이 프로그램을 만들고 진행했습니다. 1부는 동아리 체험, 그리고 2부는 토크쇼로 진행되었습니다.

  무엇보다도 놀라운 건, 우리 아이들 영어 실력이 이렇게 좋은가요? 웬만한 질문과 답변은 영어로 합니다. 거기서 저 혼자만 멀뚱멀뚱… 에휴~ 이놈의 영어 울렁증….

  30명의 류슨스틴 고등학교 학생들은 우리 아이들과 함께 동아리 활동을 하기 시작했습니다. 한 동아리에서는 한국을 소개하기 위해 다양한 재료를 활용합니다. 그런 아이들의 모습이 어찌 이리도 예쁜지요. 우리가 늘 보던 그 아이들이 맞나요?

덴마크 남자아이가 드론을 조종하는 모습이 놀랍습니다. 처음 해보는 거라는데 제가 손을 펴자 드론을 제 손바닥에 살포시 착륙시킵니다. 박수와 탄성이 쏟아지니 덴마크 아이가 부끄러워합니다. 덴마크나 우리나 여자아이들에 비해 남자아이들이 더 수줍어하네요.

30명의 학생과 함께 오신 두 분 선생님이십니다. 학생들이 동아리 활동을 하는 동안 두 분 선생님은 위안부 할머니 이야기를 들었습니다. 단군신화도 알고 계시고 우리 역사에 관심이 많으시더군요. 아시아에는 처음 오셨다고 하네요.

덴마크는 친환경 프로그램에 유난히 자부심이 있더군요. 제일 먼저 친환경 이야기가 나옵니다. 주차장에 가득한 우리 선생님들의 자동차를 보며 놀라시더군요. 그 학교는 대부분 자전거를 타고 다닌다고요.

곧 아이들은 스스럼없이 어우러집니다. 복도 여기저기에 삼삼오오 모여 이야기를 나눕니다. 즉흥 토론까지 벌어지는 모습을 보니 우리는 너무나도 우리 아이들을 어리게만 봤던 것은 아닌가 싶습니다.

마그네슘 연소 실험. 덴마크 아이들은 오히려 멀찍이 피해 있네요. 모두 멋진 연구자 같아요. 하지만 속으로는 저도 걱정되었습니다. 안전이 최우선이니까요. 교실 전등까지 다 끄고 화려한 마그네슘 연소 쇼를 보여주는 우리 아이들 곁을 떠나지 못했죠.

덴마크 선생님에게 우리 친구들이 국궁을 설명합니다. 활시위를 힘껏 당기며 화살 몇 대를 날립니다. 과녁에 맞혀도, 빗맞아도 덴마크 선생님은 허허 웃습니다. 우리 아이들 참 많이 준비했네요. 두 분 선생님께도 제 책을 선물했습니다. "한글 배워서 읽으세요."

2부가 시작되었습니다. 먼저, 덴마크 아이들이 자기 학교를 소개합니다. 세 학생이 나와 덴마크의 교육제도와 고등학교 생활을 열심히 설명합니다. 그들에게 이런 장면은 매우 익숙한 수업의 한 장면이라

고 합니다. 발표가 자연스러운 거지요.

　우리 학교 소개까지 끝나고 모두 둘러앉아 자유롭게 질문하고 답합니다. 누구나 질문할 수 있고 누구나 대답할 수 있는 자리, 사회자가 기가 막히게 진행을 잘하네요.

　제가 한 일이 뭐냐고요? 삼겹살 사준 것!!! 우리 아이들에게 덴마크 아이들이 삼겹살을 먹을 수 있는지, 채식하는 학생이 있는지 꼭 확인하라고 했지만 그래도 걱정했어요. 다행히 반응이 좋았어요.

　오늘 이야기 길었죠? 아이들은 헤어지기 싫어 다시 학교 운동장으로 이동했습니다. 덴마크 아이들이나 우리 아이들이나 섞여 있으니 전혀 다르지 않네요. 우리 학교도 류슨스틴 고등학교의 자유로우면서도 발표를 서슴없이 하는 수업 방식을 도입해야겠네요.

선생님들이 준비한 학생독립기념일

11월 3일이 학생독립기념일이죠. 제가 담임을 할 때는 이 세상의 기준이 되라는 의미에서 아이들에게 꼭 자(尺)를 선물했는데 우리 선생님들은 과자를 준비했네요.

현수막 예쁘게 내걸고 정 (情)이라는 이름의 과자를 준 비합니다. 며칠 전부터 모금함 이 돌았어요. 선생님들의 정성 을 모아 아이들에게 선물을 하 자는 건데 급식실과 행정실에 서도 즐거운 마음으로 참여했

습니다. 30만 원이 넘는 돈이 모였더군요.

'역사의 한가운데서 역사의 중심에서 당당한 청년이 되길!'

'친구와 선생님을 사랑하게 하는 마법의 초코파이 함께해요.^^'

'너무 힘들다고요? 이 고비를 지나면 더욱 단단한 자신이 되어 있 을 테니… 이 고비만 넘기고! 힘내요!'

예쁜 마음을 담은 스티커를 한 땀 한 땀 손수 작업. 휴우~ 대단하

시네요.

오늘따라 좀 쌀쌀한 날씨지만 아침부터 정문과 후문에는 우리 선생님들이 대거 등장하여 손팻말을 들고 등교하는 아이들에게 과자를 하나씩 나누어 줍니다. 아이들은 이게 무슨 일이냐는 표정입니다.^^ 의외로 학생들이 학생독립기념일을 잘 모르네요.

음악도 틀고, 자기 반 학생들이 오면 어린애처럼 달려가는 선생님들. 고맙습니다. 제 마음이 따스한 시간이었어요. 선생님 한 분은 아침에 수고하신다고 수프를 선생님들께 돌리시더군요. 따뜻한 커피도 돌고…. 정말 정이 넘치는 모습이었습니다.

점심시간에는 서울시교육청 자료인 학생독립기념일 영상을 틀었어요. 그리고 옆 게시판에는 유래를 자세하게 적은 게시물을 걸고요. 다시 옛날로 돌아갑니다. 그때는 '학생의 날'이라고 했는데. 우리 반 아이들에게 선물을 하나씩 주면서 오늘의 유래를 말했죠. 이제는 어른이 된 그 아이들에게 혹시나 그 기억이 남아 있을까. 그래도 갑갑했던 그 시절에 비하면 오늘은 너무나도 따뜻하네요.

인창고등학교에서 학생독립기념일은
이렇게 흘러갑니다. 무엇보다도 우리
선생님들의 속 깊은 마음이 저에게 스
며든 하루입니다. 이런 선생님들과 함
께하는 저는 정말 복 받은 사람입니다.

안녕?

다들 어찌 지내시는가?

커피 한 잔 보내네.

예가체프인데 핸드드립으로 내려 먹는 이 맛에 요즘 빠져 산다네.

약간 새콤하면서도 커피 특유의 향이 섞여 있어 입 안에 오래 향취

가 남아 있네.

교장실에 오시는 분들에게 누가 타 주는 것이 아니라 이렇게 각자

내려 마시거나 타서 먹는 모습으로 전환... 운영위원장이든 야구부

회장이든 교사들이든 모두 각자 자기 모습으로 내려 먹지. 그러다

보면 허허, 낄낄 웃게 되고...

이제야 내가 인창고 속으로 완전히 들어간 것 같다는 느낌이네.

오래 걸렸지. 워낙 다른 사람에게 마음 문 열기를 어려워하는 성

격이라 여기서도 뭐 마찬가지였지... 주변인처럼 쭈빗쭈빗 거렸는

데... 그래도 모두들 따뜻하게 맞아주니 다행이지.. 뭐

감사하지...

요즘 이런 걸 구상하고 있네.

12월에 대토론회를 하고

2월에 한 2주 정도 자체 아카데미를 하려고 하는데 말이야.

그중 하루 정도 다른 학교랑 조인트 워크숍을 하면서 서로 의견 교
환히면 어떨까 하는.

학교마다 새 학기 준비하는 방법이 다르니, 아마도 서로 자극이 되
고 영향을 주고받을 수 있지 않을까...
어때?
생각 있으면 함께 구상해보세.
물론 구성원들의 동의를 얻어야지....
오늘도 좋은 하루!!!

겨울이잖아요

갑자기 영하로 내려간 날씨 탓만은 아닐 겁니다.

오후 5시를 넘자마자 운동장에 어둠이 내립니다.

"5시밖에 안 됐는데 벌써 어두워지네."

창밖을 보며 혼잣말을 하는데 언제 들어왔는지 한 학생이 이렇게 말합니다.

"겨울이잖아요."

"그러네. 맞네….'"

수능 성적이 발표된 날이라서 그런지 더 춥고 어둡습니다. 아까는 교실 한가운데 여학생 둘이 가방을 메고 서 있더군요.

"오늘 성적표 받았겠네. 어땠어?"

아이들에게 불쑥 이렇게 말했네요.

고개를 가로젓습니다.

혁신학교는 노는 학교 아니냐는 말씀에 아직도 답장을 못 하고 있습니다. 주제탐구 수업을 하느라 다양한 활동을 하며 탐구역량을 키워가는 아이들을 논다고 하신다면 우리 학교는 노는 학교가 맞지요.

소문이라고 들려주신 이야기에는 억울하다는 생각이 드는 것도 많더군요. 조만간 답장을 드리리라 생각하지만, 한편으로는 우울합니다.

이럴 때면 저는 습관처럼 아이들 속으로 들어갑니다. 교사를 시작할 때부터의 제 오랜 습관입니다. 아이들 속에서 그들과 마냥 어울리는 거지요.

우리 학교 친구가 중학생과 초등학생으로 보이는 학생에게 무언가를 알려주고 있습니다. 저도 한참을 서 있었는데 참 차근차근 친절하게 설명해 주더군요. 누가 봐도 당당한 우리 아이들입니다. 이런 당당함과 친절함은 책상에 앉아서 배우기는 힘들지 않나요? 인창고에는 이렇게 친절한 아이가 참 많아요.

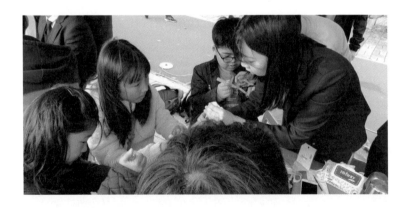

다음의 사진은 방과 후에 자기들끼리 동영상을 촬영하는 장면이에요. 저 끝에 서 있는 아이가 극중 인물이고 나머지는 스태프로 촬영하는데 그들만의 질서가 있더군요. 특히 연출을 담당한 아이는 즉석에서 다른 아이들의 의견을 듣고 방향을 잡아가는 것이 영락없는 리더

의 모습이었죠. 함께 콘티도 짜고 연출과 촬영, 몇 번이고 반복하여 재촬영. 그래도 아이들은 지친 기색이 없더군요.

저랑 이런저런 이야기를 하다가 갑자기 바람이 불어 준비한 재료가 확 날리니까 얼른 온몸으로 감싸더군요. 사실 그냥 내버려 두어도 누가 뭐라고 하겠어요. 하지만 이 친구는 자기가 애써 준비한 물건이기에 아주 소중하게 대하더군요. 이렇게 예쁜 아이도 어느 대학 가느냐로 판단해야 하나요. 예쁜 건 그냥 예쁜 거예요.

이 친구가 손으로 잡고 있는 것은 3D 프린터예요. 무언가를 열심히 찍고 있더군요. 그런데 옆에 계신 선생님 말씀이 놀라웠어요.

"이 프린터는 고장이 나서 창고에 있었어요. 그런데 이 친구가 보더니 그냥 쓱 고치는 거예요. 지금은 이렇게 잘 사용하고 있습니다."

그래서 물었죠. 어떻게 고쳤냐고.

"그냥 이런 기계는 찬찬히 살펴보면 보여요."

이렇게 고친 기계가 더 있다고 하더군요. 이 녀석의 재능을 계속 살리고 싶었어요.

"그래, 학교에 있는 물건, 네 마음대로 살펴보렴."

아, 마지막으로 하나만 더요.

점심시간에 아이들이 텃밭을 가꾸어요. 지난여름부터 키워온 무가 이렇게 튼실하네요. 그걸 세상에, 교장실로 막 뛰어 들어와 저에게 안겨주는 거예요. 자기 머리보다도 더 큰 이 무. 무엇보다도 제대로 흙을 털어내지도 못했으니 아이 손에는 또 흙이 얼마나 묻었을까요. 이 아이에게 학력은 무엇일까요.

출근길

늘 일찍 나온다.
그래도 새벽 버스에는 중년의 남성들이 많다.
다들 어디로 가서 무엇을 할까.

오늘은 유난히 눈이 떠지지 않았다.
그래도 부지런히 몸을 움직여 버스를 타고 가쁜 숨을 고른다.
늘 그렇듯 음악을 켜고 그 음악에 푹 빠져들며 생각을 정리한다.

아무래도 요즘은 새해 계획이 중심이다.
예산, 업무분장, 새해 가장 집중해야 할 일 등등….
가장 큰 두려움은 문득문득 솟구치는 '이게 맞나?'라는 의심…. 의심하지 말라 했거늘^^

학교에 도착해도 여전히 어둠 속이다.
멀리 동녘이 살짝 붉어진다.
야구부 합숙소는 부지런히 아침을 준비하는 듯 여기에만 불을 켰다.

저 아이들이 자기가 꾸는 간곡한 꿈을 꼭 이루면 좋겠다.

통합교실 복도에 아이들이 만든 작품이 걸려 있다.

이 아이들에게 세상은 두렵고 험한 곳이겠지.

너희뿐만 아니란다. 다른 모든 아이들도, 심지어는 어른들도 세상은 두렵고 험한 곳이야.

그래도 있지. 세상은 참 살만한 곳이란다.

버스에서 내려 걸어왔건만 아직도 교장실 복도는 어둠 속이다.

그래도 저기 가면 따뜻한 커피를 마실 수 있다.

오늘 하루를 천천히 계획한다.

컴퓨터를 켜니 고마운 피드백이 자르르 쏟아진다.

얼마 전에 방문했던 고교 선생님들이 쪽지로 보내신 고마운 글이다. 여기에 몇 자 옮긴다.

"어제저녁 많이 바쁘신 중에도 좋은 강의를 해주셔서 너무 감사드립니다.^^ 교장 선생님께서 해주신 강의를 들으며 학교와 학생들을 향한 교장 선생님의 열정과 사랑이 얼마나 큰지 온몸으로 느낄 수 있었습니다. 저는 과목이 보건이라 이해하기 어렵진 않을까 걱정하였는데 많은 내용을 이해하기 쉽고, 정확하게 알려주셔서 정신없이 필기하다 보니 금방 1시간이 지나가 버려서 참 아쉽기도 하였습니다. PPT 한 장 한 장이 넘어갈 때마다 필기를 다 하지 못하면 너무 아쉬운 마음이었는데 자료까지 공유해주셔서 너무 감사드립니다.^^"

"'한 깨달음이 내 마음속으로 걸어들어와, 내 모든 행동으로 옮겨지고, 그것이 다시 많은 사람들에게 옮겨지는, 그 아름다운 감염의 경로를 생각한다.'

어디에서 읽은 글인지는 모르겠지만 강의를 듣고 나서, 떠올라서 적어 보았습니다. 저는 혼자서 무조건 열심히 하는 스타일인데, 어제 강의를 통해, 물론 새로운 미처 깨닫지 못했던 영역의 앎도 있었지만, 무엇보다 효율과 조직력, 분석과 방향을 지시하시는 리더의 힘에 대해 다시 한번 느끼게 되었습니다. 그리고 마음속에 무언가 새 학년도에 시도하고 도전해야 할 혁신적 과제로 머리와 가슴이 요동치고 있습니다."

아침이 차분하게 우리 학교에 내리고 있다.

아듀 2018

이렇게 학교는 1년을 마무리한다. 12월 27일… 이제 남은 시간은 기록하고 확인하고 또 새 학기 준비하고….

2월 업무만 간단하게 협의하고 기획회의는 마치자고 했는데 그만 1년 소회를 밝히는 시간이 되었다. 가만히 듣고만 있어도 우리 샘들의 마음을 느낄 수 있다. 그래, 이런 맘들이 모여 지금의 인창을 만들어 가는 거지… 한 분 한 분 말씀이 끝날 때마다 함께 박수를 치며 고개를 끄덕인다.

1학년 아이들은 2차 지필 이후 자기들이 준비한 학급별 합창경연대회(우리 학교는 이를 '인음제'라고 한다)를 한다. 너무나도 행복했단다. 시험 스트레스도 없고, 다른 반과 경쟁도 아니 하고, 그저 함께 모여 노래하고 율동을 하니 신난단다. 올해는 아이들의 요청에 따라 댄스도 추가되었다. 합창은 9개 반 모두, 댄스는 8개 반이 참여했다. 여자아이들의 리더십에 남자아이들도 수줍게 따라 하는 모습을 보니 저절로 웃음이 나온다. 귀엽다. 사랑스럽다.

    2학년은 한 대학을 초청하여 학과설명회를 했다. 대학도 프로그램을 잘 준비했다. 학과 소개와 함께 체험까지… 대학에서는 한 40명이 왔네. 덕분에 우리 2학년 아이들은 전체가 희망하는 학과로 들어갔다. 학과설명회가 끝난 후에는 3학년 담임교사들을 중심으로 2학년 아이들에게 맞춤형 입시설명회를 했다.

    시험 끝난 후 학기 말에 아이들을 '방치'하는 학교는 없을 것이다. 우리 학교 선생님들도 이 기간에 집중적으로 학습 방법, 진로 컨설팅, 학부모 대상 입시설명회를 했다.

    게다가 교사들은 올해 입시 결과를 바탕으로 학교생활기록부 분석회를 했다. 시작은 한 선생님의 말씀이었다.

    "얘가 왜 이 대학에 합격했을까?"

    그러자 3학년 선생님들이 우리 아이들 학생부를 분석해 보자며 대대적인 분석 작업을 했다. 그 결과 인창고만이 특색이 드러나더란다. 이제 그 결과를 2월 워크숍 기간에 공유하기로 했다. 학교의 12월은 이렇게 역동적으로 흘러간다.

    올해 대학에 들어간 한 녀석이 했던 말이 생각난다.

    "우리 학교는 학생 선택이 많아서 좋아요."

공교육의 중심이 되는 학교

방학이 되어 처음에는 당혹스러웠어요. 한층 여유로운 시간이 생기니 무엇을 어떻게 해야 할지 모르겠어요. 지금까지 이런 경험이 별로 없었으니 말입니다.

2010년까지만 해도 방학 때 더 일정이 빡빡했지요. 평소보다 더 많은 시간을 보충수업을 해야 했고, 특강이라는 이름으로 더 얹어 수업을 했어요.

그다음 10여 년은 따로 방학이 없는 시간을 보냈으니 팽팽하던 줄이 끊어진 것 같은 시간이 하루 이틀도 아니고 연이어 있으니 몸이 먼저 어리둥절한 상태였습니다.

그래도 새 학기 준비는 차곡차곡했습니다. 간혹 강의에서 조금씩 말씀을 드리면 아예 다 털어놓으라고 하셔서 여기서 말씀드리려 합니다. 뭐 특별한 것은 없어요. 새 학기 준비는 전국의 대부분 고등학교와 마찬가지로 전 교사가 참여하는 워크숍을 통해 완성됩니다. 하지만 그 전에 조금씩 준비해 왔습니다. 오늘은 그 과정을 말씀드리죠.

2019년 우리 학교의 비전은

- 공교육의 중심이 되는 학교

- 살아가는 힘을 키우는 학교

- 교육공동체가 함께 행복한 학교입니다.

당연히 최종 도달점은 행복한 학교이지요.

운영원리는 정규교육과정 중심, 소통 · 자치 · 자율, 생명, 진로 · 진학이고, 학생들에게 심어주고 싶은 핵심역량은 자신감, 연결성, 자주성입니다. 이를 위해 4개의 과제를 세웠습니다. 이 과제는 워크숍 이후 정리하여 다시 올리겠습니다.

한 번의 워크숍으로 변화를 끌어낼 수 없습니다. 그래서 이미 작년 9월부터 조금씩 준비를 했습니다.

2019년, 변화를 고민하다

가장 먼저 시작한 것은 인창고의 장점과 2019년 교육환경의 변화를 접목하는 일이었습니다.

우리 학교는 팀프로젝트, 자율동아리 활동 등이 열정적인 교사들과 학생들의 자발적인 선택이 어울려 활발하게 일어났습니다. 여기에 2019년에는 학교 내 정규 교육활동을 강조하고 학생선택교육과정(2015 교육과정)과 2022 수능이 본격적으로 적용됩니다.

이런 점을 감안할 때 우리 학교는 학생선택 중심, 학생주도는 더 살리고 학교 내외의 역량을 종합적으로 분석하고 정규교육과정에 담아야 한다고 생각했습니다. 이를 학년 변화에 따라 단계적으로 어떻게 반영할까를 모든 교사가 함께 고민하고 공유해야 하죠. 여기에 학생들 내면에 숨어 있는 탐구 능력을 끌어낼 수 있는 교사의 전문적 역량을 더해야 한다고 생각하고 준비해야 했습니다.

교육과정 중심으로 교육활동 재구성
교육과정을 중심에 놓고 생각하니 당장 학생들의 선택을 어떻게 자율적으로 할까를 고민하게 됩니다.

교과목 개설도 중요하지만, 교사가 학생들에게 교육과정 코디의 역할을 해야 합니다. 뭐 전문적인 코디는 아니더라도 적어도 자기 교과 안에서 코디 역할은 필요하죠.

교육과정 편성보다 학습내용의 단계성이 더 의미 있습니다. 즉, 학습내용의 탐구과정을 도와주어야 한다는 거죠.

그러니 교사는 과목 연계에 따라 학습내용을 알려주고 다음 과목과 연결할 때 어떤 점이 관련 있는가를 알려주는 역할은 해야 합니다. 이 부분은 결국 학생들이 어떻게 탐구과정을 밟아갔는가를 알려줍니다.

부서와 공간, 예산 재배치
학교의 여러 규정을 재개정하여 학교운영위에 상정합니다. 우리 학교 학운위는 2월 하순 경에 열립니다. 새 학기 관련 법규를 정비하고 우리 교사들이 활동하는 법적 근거를 마련해야 하는 거지요.

아울러 교수학습 중심으로 예산을 편성하였습니다. 집중할 것과 그렇지 않을 것을 재조정하면서 인건비 등 기본경비로 어마어마하게 빠져나가기에 뭐 별로 쓸 것도 없지만, 그래도 조금이나마 집중했습니다. 어디 가서 돈 좀 벌어야겠습니다. 공간을 재배치할 필요가 생겼습니다.

올해는 학생회와 학부모회가 제 역할을 하면 좋겠습니다. 그리고 교사회도 운영이 되면 좋겠다는 생각입니다.

우리 학교는 혁신학교입니다. 과학중점학교이기도 하구요. 이 업무의 지속성을 유지하면서도 교육과정 중심, 그리고 무엇보다도 교육과정-수업-평가-기록 일체화를 기반으로 수업과 평가를 활성화하기 위해 협업과 소통을 위한 업무분장을 했지요.

처음에는 부서 내 ○○팀이라는 이름으로 구성했는데, 익숙지 않아서인지 팀과 부를 바꾸면 어떻겠냐는 의견이 나왔습니다. 그것이 뭐가 중요하겠습니까. 그렇게 하자고 했지요. 다만, 호칭은 부장님보다는 선생님으로 통일하면 좋겠다고 했습니다. 하여튼 4팀 1실에 14부가 있는 거지요.

가급적 부에서는 서로 의논하여 편하게 자리를 배치하고 업무도 서로 조정하면 좋겠습니다. 작년에 했던 업무 중 없어도 무방한 것은 과감하게 덜어내고요. 교과와 창체, 진로와 학년이 한 부서 내에 편성되어 업무적 유기성을 확보할 수 있을 것 같네요.

우리 학교는 미음(ㅁ) 자 형태라 햇빛과 바람이 통하지 않는 곳이 있습니다. 그래서 가능하다면 햇빛과 바람이 잘 통하는 곳에 자유토론이 가능하고 다용도로 사용할 수 있는 화이트 스페이스(white space)를 몇 군데 확보했습니다. 실제 이 공간은 문을 없애려고 합니다.

진작에 부서장은 발표(2018.12.31.)했기에 교사발령(2019.2.11.)이 나면 담임과 업무담당자를 결정하고 본격적으로 새 학기 준비에 들어가야 할 것입니다.

방학 동안 선생님들의 추천을 받아 읽을 책을 나누었고 미래교육 관련 프로그램도 시청하고 있습니다.

이런 준비과정을 모두 한데 모아 인창고만의 2019를 준비할 워크숍이 2월 하순에 있습니다. 함께 큰 걸음을 뗄 시간입니다.

올해 저에게는 큰 꿈이 없습니다. 그저 인창고가 공교육의 중심이 되어 하나의 사례를 제시하는 것으로 그 꿈을 대신하려고 합니다. 저혼자서가 아니라 우리 선생님들과 학생, 학부모가 함께 만들어 가는 사례 말입니다. 학생, 교사는 물론이고 학부모, 지역사회에서도 공교육으로 행복한 웃음이 넘치는 학교 모습을 보여주고 싶습니다.

2019년, 설 연휴 지나며 본격적으로 새 학기 준비에 나서면서 긴 글 이렇게 써 봅니다. 무슨 출정사 같다면 용서하시기를.

2019 마중물

　새 학기를 준비하느라 2월 학교는 그야말로 정신없습니다. 아이들을 맞기 위해 교실을 깨끗하게 정비하고 교사들은 수업과 평가 계획을 세웁니다.

　인창고는 3일 동안의 마중물 연수를 하고 교과별, 부서별 새 학기 준비를 했습니다. 이제야 그 흔적을 살펴봅니다.

　2019년 우리 학교는 '해야 해서 하는 것 말고 하고 싶어서 하는 것'을 성취목표로 세웠습니다. 자기가 하고 싶어서 하는 자기주도적인 학교문화를 세우자는 거지요. 비록 경기도 북부의 평범한 고등학교이지만, 공교육의 중심으로 살아가는 힘을 키우며 교육공동체가 함께 행복한 학교가 되자는 큰 꿈을 꿉니다.

　특히 우리는 인창고 학생들이 '자신감, 연결성, 자주성'을 배우면 좋겠습니다. 자신감이란 주눅 들지 않는 마음입니다. 할 수 있다는 마음이죠. 혹시 다른 친구보다 공부를 못하더라도 주눅 들지 말고, 운동을 하지 못한다고 기죽지 말자는 겁니다. 실패? 그건 또 한 번 도전할 수 있는 길을 찾은 겁니다.

또 하나는 연결성이지요. 학교에서 배운 배움을 실제 생활과 연결하라는 겁니다. 고등학교에서 참 많이 배우지요. 하지만 결코 어렵거나 깊지 않습니다. 그런데 이 배움으로 평생을 살아가기도 합니다. 단순히 대학 시험을 보기 위해 배우지 않습니다.

마지막으로 자주성입니다. 스스로 하자는 의미이죠. 〈노트북〉이라는 영화를 보면 이런 장면이 나옵니다. 도시에서 온 여학생과 시골 남학생이 데이트를 하는 장면인데 시골 남학생이 묻습니다.
"너는 어떻게 결정을 해?"
여학생은 "내가 결정하는 것은 없어. 모든 것은 엄마가 해."라고 대답합니다.
그러자 남학생이 이렇게 말하죠.
"그렇다면 너는 하고 싶은 것이 없어? 해야 해서 하는 것 말고 네가 하고 싶어서 하는 것 말이야."
2015 교육과정이 학생선택이라면 학생 개인이 다 교육과정입니다. 그래서 우리는 우리 학교의 프로그램과 아이들의 선택을 잘 버무려 우리 학교만의 교육과정을 꿈꾸고 있습니다. '아름다운 숲 과정'이라고 이름 붙였습니다. 그동안 열심히 해왔던 교육활동이 모두 이 안에서 정리가 되는 겁니다.

마중물 연수 3일 동안 전체 서클과 레크리에이션, 모둠별 독서토론과 인창고 학생부 분석, 수업과 주요 사업, 행사를 들여다보고, 덜어

내기와 넘나들기를 모두가 함께 고민하고 토론했습니다.

에너지 넘치는 선생님들을 따라 하다 보니 제가 가장 먼저 지쳤지만, 그래도 참 좋은 시간이었습니다. 모든 교사가 다 전문가고 자신의 일에 자부심이 있었습니다. 어려운 문제가 있으면 공동체가 함께 논의하고 해결 방법을 찾아가는 시간이었습니다.

그래도 새 학기 준비는 어느 정도 마무리한 것 같습니다.

3월 첫 새벽, 기도하는 마음으로 2월, 그 치열한 순간을 기록으로 남깁니다.

3월 첫 주 금요일 아침에 선생님들께 보낸 편지

2주에 한 번꼴로 선생님들께 편지를 씁니다. 작년 9월부터 지금까지 8통의 편지를 보냈네요. 여기서 선생님이란 교사들만 의미하는 것이 아닙니다. 저는 우리 학교 모든 교직원을 '선생님'이라고 부릅니다. 이렇게 편지를 쓰고 나면 바쁜 중에도 답장을 주시는 선생님들이 계십니다. 어제는 자신의 가족사를 들려주신 분이 계셔 뭉클했네요.

......

일주일, 어떠셨나요?

다행입니다. 일주일 동안 우리를 짓누르던 미세먼지가 그래도 주말을 앞두고 잠시 물러났네요.

2019학년도 첫 일 주일을 마감하는 금요일 아침입니다.

어떠셨나요? 일각(一刻)이 여삼추(如三秋). 시간이 가지 않았던 한 주였나요? 아이들과 관계 맺기, 시작을 하기 위해서 정리한 각종 서류, 우중충한 날씨…. 돌아보니 여유롭게 차 한잔할 시간도 없으셨지요? 더구나 새로 오신 분들은 낯선 환경에 더 심란하셨을 것 같습니다.

오늘 아침, 저도 모처럼 여유를 즐깁니다.

커피양이 늘었어요.^^ 이제는 한 잔 가지고는 성에 차지 않아 머그 잔이 찰찰 넘치도록 따라 마십니다. 어떨 때는 연거푸 두 잔을 내리 마실 때도 있고요.

그래도 일주일을 돌아보니 우리 선생님들이 참 대단하시다는 생각 이 듭니다. 예전의 저는 첫 일주일이 허덕임의 연속이었거든요. 그럼 에도 우리 학교는 무언가 톱니바퀴 돌아가듯 바로 제자리를 찾았다는 느낌입니다. 저만 그렇게 느끼는 건 아니겠지요? 고맙습니다.

선생님, 생활하시다 보면 불편한 것도 있고 자신의 상상력을 더해 새로운 것을 하고 싶을 때도 있을 겁니다. 어떤 아이디어가 번뜩 떠올 랐을 때는 주저하지 마시고 말씀해 주세요. 제 방의 문은 항상 열려 있고요. 메신저도 열심히 살펴봅니다.^^ 바로 방법을 찾아보자고요.

한 사람의 생각에서 시작한 아이디어가 많은 사람을 거치게 되면 훌륭하게 바뀌는 경우를 참 많이 보았습니다. 우리 선생님의 경험과 지혜는 합치면 더 큰 힘을 발휘하게 되지요.

어제는 민원 때문에 방문한 장학사님과 긴 시간을 이야기했습니다. 핑계를 대고 변명하기보다는 잘 듣고 개선 방법을 찾으니 배울 것이 참 많았습니다.

순간 '자극'이라는 단어가 떠올랐습니다. 그리고 그동안 참 열심히 사용했던 '배움'이라는 단어의 의미두 되새길 수 있었죠. 안다는 것노 중요하지만, 무엇보다도 실천할 수 있는 것은 참으로 큰 용기와 지혜 입니다.

우리 학교는 정작 금요일이 더 바쁘죠. 그래도 짬을 내서 옆 선생님 들과 차라도 나누시면 좋겠습니다. 주말, 행복하시길 빕니다.

야구부 아이들, 다짐식 하다

 3월 초 학교는 여지없이 바쁘네요. 며칠 전부터 등이 아프더니 급기야는 꼼짝할 수 없을 정도였습니다.

 지난 주간을 돌아보니 참 일이 많았네요. 무엇보다도 학부모총회가 가장 절정이었던 것 같습니다. 학교 교육활동을 차분하면서도 열정적으로 설명하신 선생님. 학급별로 학부모들의 서클 활동 등 다양한 모습으로 학부모들께 다가가려고 하시더군요. 우리 학교에서 있었던 많은 얘기 중 몇 가지만 말씀드릴게요.

학생작품, 대형 걸개로 변신하다

 올해 첫 대형 걸개그림은 인창고 학생들의 문학 작품을 선정하여 시상하는 학교상인 '인창문학상'에서 2018년에 최우수상을 받은 시입니다. 소녀상에 얽힌 사회의 무관심을 담담하게 말하고 있습니다.

 따뜻한, 어머니의 햇살이
 잔잔하고도, 무겁게 비춰지리라
 한 맺힌 한이 이젠, 멀리 떠나가리라

이 학생의 마음처럼 우리 역사에 맺힌 한(恨)이 다 해소되고 새로운 미래로 홀가분하게 떠날 수 있으면 좋겠습니다. 역사를 왜곡하고도 너무나 당당하고, 뻔뻔하게 있는 저들이 제발 용서해달라고, 잘못했다고 진심으로 비는 날이 하루라도 빨리 오면 좋겠습니다.

인창야구부, 다짐식을 하다

아직도 많은 학교에서 출정식을 한답시고 돼지머리 올려놓고 승운을 비는 고사를 지냅니다. 그런데 올해 우리 학교 야구부는 학생들이 자신의 다짐을 쓰고 목표를 가슴에 새기는 '다짐식'을 했습니다. 야구부 아이들이 커다란 현수막에 자기 스스로 다짐하는 글을 씁니다. 그 가운데 '자신 있게'라는 문구가 눈에 쏙 들어옵니다. 아이들의 표정이 환합니다.

주말리그 첫 경기가 4월 6일이라고 하니 선생님들이 응원단을 조직하시겠다네요. 올해는 운동과 학습을 병행하도록 돕겠답니다. 인창야구부의 방향이 과거와 달리 새롭게 전환이 되는 해가 되면 좋겠습니다.

학생들을 위해 교수님을 설득하다

참 대단하신 우리 선생님들입니다. 학생들이 주문형강좌로 과학실험 과목을 열어달라고 하더군요. 강사를 구하지 못해 폐강을 할 수밖에 없었지만, 주저앉을 우리 선생님들이 아니십니다. 대학으로 달려가서 세 분 교수님을 설득하시더군요. 처음에는 난색을 표하던 교수님들. 우리 선생님의 열의에 승낙을 하셨습니다. 그래서 개설되는 생명과학실험, 과학융합실험 수업을 열 수 있었습니다. 아이들을 위해서는 어디든 달려가시고 기어이 방법을 찾아내는 우리 선생님. 참 대단하십니다. 다음 주에 바로 시작합니다.

이렇게 한 주가 지났습니다. 뜨거운 한 주였습니다. 이제 봄이 오니

교정에는 꽃이 피고 운동장에도 아이들이 나오기 시작합니다.

총회에 참석했던 어느 학부모님 말씀으로 끝을 맺습니다.

"처음에는 무표정이던 학부모들이 시간이 흐를수록 신뢰로 바뀌더군요."

네, 아무리 밖에서 흔들어도 우리 학부모님들과 뚜벅뚜벅 함께 가겠습니다.

주문형강좌 개설기

어쨌거나 시작은 했습니다. 학생들이 개설을 요구하고, 여러 선생님이 애써서 겨우 틀을 갖추고, 교수님들이 참여하여 시작하는 강좌입니다. 학점제 활성화에 도움이 될 수도 있을 것 같아 우리 학교 주문형강좌 개설기를 말씀드립니다.

학생들은 처음에 세 과목을 개설하기를 원하더군요. 경제학, 생명과학실험, 과학융합실험이었습니다. 과목명에서 보듯이 주문형강좌 개설을 요청하는 학생이라면 어느 정도 학업에 열의가 있습니다. 주문형강좌는 정규교육과정이지만, 일과 중에 편성하기가 어렵습니다. 학생들은 시간 내기도 어렵습니다.

어려움 하나. 강사 확보

수업과 평가를 하고 NEIS에 기록하려면 교사자격증 소지자여야 합니다. 과목 특성상 이론적 깊이와 실전 경험이 풍부해야죠. 우리 학교 교사나 타학교 교사여야 하는데, 규정상 별다른 수업수당을 드릴 수 없네요. 또한 시간은요, 저녁 시간이나 토요일을 이용해야 하거든요.

완전히 희생과 헌신을 바라야 합니다. 정규 수업에 집중하기에도 벅찬 현실에 이건 아니죠.

혹시 모르니 공고에 재공고까지 했습니다. 역시 없었습니다. 그나마 우리 학교 선생님들이 협업 수업을 하기로 하고 인근 대학에 요청했습니다. 우리 학교 선생님들이 대학까지 찾아가 간곡하게 말씀드리자 다행히도 영재교육 경험이 있던 교수님들이 참여해 주셨습니다.

어려움 둘. 막힌 무학년제

너무나도 좋은 기회라 1, 2, 3학년에 다 기회를 주고 싶었습니다. 그런데 1·2학년과 3학년은 교육과정이 달라서 안 되고요.(1·2학년은 2015 교육과정, 3학년은 2009 교육과정) 1학년은 심화 과목이라 학습단계상 어렵다고 판단되었습니다. 그러니 자동으로 2학년만…. 학점제를 운영하려면 무학년 선택제를 염두에 두어야 할 텐데 조금 아쉬움이 남습니다.

어려움 셋. 예산 확보

우리 학교에서 협업으로 하는 수업에는 주문형강좌가 있고, 학부모님의 재능기부로 음악 시간에 판소리 수업을 하는 강좌를 준비하고 있습니다. 이 수업은 음악의 한 단원에 히는 기고 재능기부라 예산이 그리 필요하지 않지만, 주문형강좌는 예산을 고민해야 합니다. 특히 인건비인데요. 재능기부에만 의지하거나 희생을 강요해서도 안 되잖아요.

수업, 평가, 학습상담은 물론이고요. 이런 부분도 분명 제도적으로 고민이 있어야 할 겁니다. 그래도 문을 열었습니다. 담당 선생님께서 아이들의 만족도가 높다고 하네요. 계속 지켜보아야겠습니다. 문제가 생긴다면 하나씩 해결해야죠.

　요즘 저는 징검다리를 건너는 기분입니다. 돌 하나 건너면 저기에 돌 하나가 또 있고, 그 너머에 돌 하나가 또 있어요. 그래도 우리 선생님들과 함께 건너가다 보면 새 길을 만들겠죠.

어느 평범한 하루

우리 학교는 생동감이 넘칩니다. 하루종일 활력이 넘칩니다.

3월이 지나니 교정 여기저기에 꽃들이 피어납니다. 학교 건물이 낡고 좁아 이렇게 밝은 아이들에게 미안한 마음이 여전한데 그래도 참 다행입니다.

아침을 여는 아이들

어둠이 조용히 물러나는 교실 여기저기에 학생들이 있습니다. 우리는 9시 등교를 하기에 아침 시간이 여유롭습니다.

출근하면 학교를 한 바퀴 돌아보는 것으로 시작합니다. 그런데 이미 교실에는 아이들이 다양하게 아침을 열고 있습니다. 나란히 앉아 공부하는 학생들이 있는가 하면 무얼 하는지 모둠별로 신기한 학생들도 있습니다. 면학실에는 제법 많은 학생이 자리하고 있습니다. 공부를 방해할까 봐 매번 발소리를 죽여 걷습니다.

그 모습을 남기고 싶어 사진을 찍는데, 모두 창밖에서 찍습니다. 그래도 '찰칵' 소리가 나면 제풀에 놀랍니다. 수업분석실, 학습상담실, 다목적실 등등은 함께 공부하는 아이들 차지입니다. 학년별 면학실에는 조용히 공부할 아이들이 있고요. 1학년 실에도 주문한 일인용 독서대가 빨리 들어오길 바랍니다.

학생자치회 리더십 캠프

우리 학교는 올해 교사회, 학생자치회, 학부모회가 함께 학교 운영에 참여하는 모습을 그리고 있습니다.

금요일에 학부모회 임원들과 인사를 나누었습니다. 같은 시각 학생자치회는 설악산으로 리더십 캠프를 떠났습니다. 학부모님들은 교장실에서 이런저런 이야기를 나누다가 학부모회실로 자리를 옮겨 새 학기 계획을 논의했습니다.

퇴근 무렵, 차를 몰고 강원도로 넘어가 우리 학생들을 만났습니다. 학생들이 따뜻하게 맞아 주었습니다. 너무나도 밝고 예뻤습니다. 수고하시는 선생님들께도 감사 인사드렸습니다. 동아리가 아니라 전체 학생들을 대표하는 자치회로 어떤 일을 해야 할까를 함께 고민하면 좋겠다고 했습니다.

선생님들이 해 주기를 기다리지 말고 적극적으로 학생들의 의견을 모으고 이를 반영하는 학생회가 되면 좋겠습니다.

부장이라는 호칭이 불편합니다

교무회의에 한 선생님이 마이크를 잡고 말씀하십니다. 부장 업무를 맡고 있으니 다들 "부장님", "부장님" 부르는 것 같습니다. 문제를 제기한 선생님은 업무에 따른 호칭은 교사들을 수직적으로 구분하기도 한다며 선생님이라는 호칭을 사용하자고 제안했습니다.

"이건 우리 학교의 문화가 될 수 있습니다. 우리 모두 '선생님'이라고 부른다면 그렇게 되는 것입니다. 부장이라는 호칭보다는 선생님이라고 부르면 좋겠습니다."

여기저기 웃음이 나옵니다.

"네, 알겠어요. 부장 선생님^^."

문득 처음 학교에 왔을 때가 생각납니다. 교육공무직 분들과 간담회 할 때 이런 말씀을 드렸지요.

"저는 학교에서 우리 아이들을 위해 수고하시는 모든 분을 선생님으로 부르려고 하는데 괜찮으신가요?"

이후 만나는 모든 분은 저에게 귀한 선생님이 되십니다.

학교 공간 구성

요즘은 어디를 가든 여러 공간 구성을 사진으로 찍습니다.

아직도 교실급식을 하는 통에 아이들은 식은 밥을 먹습니다. 게다가 체육관도 없어 많이 불편합니다. 마침 급식실과 체육관이 함께 있

는 공간을 보고 찰칵. 그리고 빈 교실이나 넓은 계단 공간을 활용할 화이트 스페이스(white space)를 다양하게 구상해 봅니다.

아이들이 무한한 상상력을 발휘하는 창의적인 공간을 우리 학교에도 만들면 좋겠습니다. 대단한 공간 재구조화까지는 엄두를 내지 못하더라도 따뜻한 밥을 먹을 수 있도록, 미세먼지를 피하거나 전체 학생이 모여 함께 공연할 수 있는 장소라도 있다면 좋겠습니다.

그래도 '(아이의) 오빠가 다니던 시절에 비해 다양한 프로그램을 운영하고 있고 선생님들의 헌신으로 한층 발전된 모습이 확연히 느껴져 아이에게 큰 도움이 되어 감사하다'는 분. 명문 자사고에서 전학을 온 학생으로 '아이가 우리 학교의 알차고 다양한 프로그램에 깜짝 놀랐고, 선생님들의 열정에 두 번 놀랐으며, 이에 학교와 선생님들 너무 좋고 감사하다'고 하시는 분. 이런 말씀에 우리 선생님들 모두 힘을 얻는 3월입니다.

교생 선생님들과 일체화를 공부하다

　우리 학교에 교육실습생이 열두 분 오셨습니다. 모두 우리 학교 출신입니다. 그러니 더더욱 정이 갑니다.

　교육실습을 담당하는 선생님께서 가져온 과정안을 보니 제 이름이 두 군데 있더군요. 첫날은 '학교장과의 대화' 1시간, 그리고 오늘은 '미래 인재를 키우는 좋은 수업'으로 2시간.

　학교장과의 대화는 '우리 학교를 움직이는 사람들'이라는 주제로 학교 전체를 함께 돌아다니며 우리 학교를 위해 수고하시는 선생님들을 찾아뵈었습니다.

　"실제 학교 현장에 나오면 학교를 움직이는 분들이 의외로 많다는 사실에 놀랄 겁니다. 우리 학교를 움직이는 분들은 교사들 빼고 몇 분이나 될까요? 참고로 우리 학교 교직원은 약 100여 분이십니다."

　그리고는 학교지킴이 선생님, 급식실 선생님들, 시설실 선생님들, 보건 선생님, 상담 선생님, 미화원 선생님들, 행정실 선생님들을 함께 찾아뵈었습니다.

그리고 오늘, 제 책 『교육과정-수업-평가-기록 일체화』를 미리 읽어온 다음 상호 토론을 위해 둘씩 앉아 함께 일체화를 공부했습니다. 한 시간은 교육과정-수업 디자인을, 또 한 시간은 평가에서 기록까지 진행했습니다. 예비 교사들이라 그런지, 자신의 수업에 대한 준비라 그런지, 대답도 열심히 하고 매우 진지하게 참여합니다.

　2시간 안에 과정을 끝내야 하기에 한 장짜리 실습지로 가볍게 맛만 보기로 했습니다. 성취기준을 재구성하고, 자신의 수업의도를 분명하게 한 뒤에, 들어갈 학급의 학생 특성을 대강이라도 생각해보라고 했습니다. 단계별로 조금씩 쓰고 함께 토론하고, 발표하다 보니 시간이 금방 지나갑니다. 수업디자인은 핵심개념과 활동으로 나누고 가장 효과적인 수업 방식이 무엇일까를 생각하게 했습니다.

　쉬는 시간이 지나고 이번에는 과정중심평가를 잠깐 언급하고 평가를 통해 자신의 수업의도를 얼마나 이해하고 있는지 확인할 방법을 써보라고 했지요. 아직 예비교사인지라 구체적인 계획안을 짜기는 어렵겠지만, 그래도 감을 잡은 것 같습니다. 이를 기록으로 남기려면 어떻게 해야 할까를 고민하고 써보라고 했습니다. 이 정도 흐름만 따라가도 그 수업은 충분히 의미가 있습니다.

　마지막으로 제가 한 오늘 수업의 의도를 말씀드렸죠.

　"정말 수업 잘하는 좋은 선생님이 되면 좋겠습니다. 이 마음만이라도 여러 선생님께 전할 수 있다면 오늘 제 수업은 멋지게 성공한 겁니다."

　그랬더니 모두 힘차게 박수를 칩니다. 그 눈빛이 너무 좋더군요. 일체화 강의를 하더라도 이론 중심이었는데, 오늘은 함께 만들어 가니 더 좋았습니다.

"덕분에 정말 유익한 시간이었습니다. 앞으로의 교사 생활에 큰 도움이 될 것 같습니다."

"오늘 수업 너무 의미 있고 많은 도움이 되었습니다. 정말 감사합니다. 점심 식사 맛있게 하세요."

이 수업을 준비하면서 일체화 워크북을 만들어 보겠다는 생각도 얼핏 들었으니 저는 일 만들기를 너무 좋아합니다.

너무나도 큰 감사를 배웁니다

오늘도 저는 너무나도 큰 감사를 배웠습니다.

조용히 제 방에 들어오신 학부모님께서 거금을 발전기금으로 기탁하셨습니다.

"애 아빠가 젊은 시절에 너무나도 고생을 했어요. 늘 마음에 학교에 기부하고 싶다고 했지만 형편이 되지 않았습니다. 이제야 조금 여윳돈이 생기네요."

온화한 미소로 저를 바라보시는데, 제 마음이 왜 이리 좋은지요.

젊어서부터 고생을 하다가 이제야 겨우 자리를 잡았다고 합니다.

"무슨 일을 하시는데요?"

"IT 쪽 일을 합니다. 이쪽이 경쟁이 심해 참 어렵더군요."

그러다가 이제야 겨우 상장을 할 정도가 되었다며, 마음으로 약속했던 장학금을 꼭 기탁하고 싶었다고 합니다.

"이걸 조금씩 미루다 보니 자꾸 욕심이 생기더군요. 그래서 더 욕심이 생기기 전에 얼른 가지고 왔습니다."

"어떤 학생들에게 이 좋은 뜻을 전하면 될까요?"

"저는 성적이 우수한 아이들도 좋지만, 무엇보다도 가난하면서도 열심히 하는 아이들이면 좋겠습니다. 도시에도 의외로 도움이 필요한 아이가 많더라고요. 공부는 좀 못해도 괜찮아요."

자녀가 우리 학교에 재학 중이라는데 아이는 모르게 해달랍니다.

"아이가 몰라야 하는 특별한 이유가 있을까요?"

"괜히 이런 걸로 우쭐하면 안 될 것 같아요."

아이들은 아이들의 삶이 있으니 자기들이 열심히 살아가는 법을 배우면 좋겠다고 하십니다.

"아이도 참 잘 자랐을 것 같네요."

아이가 학교 가는 걸 너무나도 즐거워한답니다.

입학설명회 때 들은 인창고의 가치와 철학이 너무나도 와닿았다며 주저 없이 우리 학교를 선택했다네요.

네, 주신 그 뜻 잘 새기어 의미 있게 사용하겠습니다.

감사합니다.

길 위의 학교

참 세상 좁습니다.

퇴근하는데 어느 선생님이 자기 휴대폰을 보여줍니다.

"○○○이 교장샘을 봤다고 톡을 보내왔어요."

○○○은 올해 2월에 졸업한 학생입니다. 이 친구가 대학의 홍보대
사여서 시흥에서 학부모 대상 어느 프로그램에 갔나 봅니다. 그 자리
에서 강의하는 저를 발견하고는 자기 선생님께 프로그램 사진과 문자
메시지를 보낸 것입니다. 자기 색깔이 분명한 친구라 대학 생활을 참
재미나게 할 거라는 생각은 했지만, 그래도 이렇게나 빨리 학교 홍보
대사로 활약하는 모습이 대견합니다.

"와, 세상 참 좁네요."

구리에 사는 아이이고, 대학은 서울인데, 시흥에서 만났다니 참 놀
랄 수밖에 없었습니다.

어느새 5월입니다. 지금이 시험 기간이라 학교는 조용합니다.

이 시험이 끝나면 2학년 아이들은 '길 위의 학교'를 떠납니다. 3월
초부터 팀을 구성하고 주제를 정한 후 학생들은 지도교사를 섭외했습

니다. 올해는 18개 팀이 구성됐습니다. '길 위의 학교'는 학생들이 직접 3일 동안의 일정을 계획하고 실행하는 체험학습입니다. 올해는 부산, 제주, 서울, 창원, 전주 등으로 갑니다. 이 친구들이 돌아오면 생각이 한 뼘은 더 자랐을 것입니다.

우리 학교 교지인 〈인창 스토리(2019)〉에 실린 글 중 작년에 떠났던 '길 위의 학교' 이야기가 있기에 일부를 인용합니다.

> 인창고등학교 2학년은 5월 9일부터 11일까지 3일 동안 평균 13명 정도의 학생들이 한 팀을 이루어 총 22팀이 통합기행을 떠났다. 통합기행은 진로의 계열이 비슷한 학생들끼리 모여 수학여행이나 수련회같이 정해진 틀에 따라가는 수동적 성격이 아닌 자신들이 직접 3일 동안의 일정을 계획하는 자주적 성격을 지니고 있는 체험학습이다. 여기서 의미 있는 점은 모든 학생들이 3일 동안의 일정을 직접 계획했다는 점이다. 그렇기 때문에 보다 효율적이고 더욱 의미 있는 통합기행이 될 수 있었다.

우리 학교는 학교교육과정을 통해 우리 아이들이 자신감, 연결성, 자주성을 배우기를 바랍니다. '길 위의 학교'를 통해서 낯선 곳에서 기죽시 않는 자신감, 삶과 연결하는 연결성, 그리고 스스로 하는 자주성을, 이번 여행에서 더 크게 배워 오라고 힘차게 격려해 주세요. 여러분의 격려가 우리 아이들에게는 놀라운 자양분이 될 거예요. 혹여라도 몇 명의 아이들이 재잘거리며 어느 낯선 거리를 걷는 모습을 본다면 이렇게 외쳐 주세요.

"인창고 2학년 파이팅!!!"

꼴찌에게 보내는 갈채

　소설가 박완서의 수필을 다시 꺼냈습니다.

　우리 학교는 '선생님과 함께 책 읽기'를 하고 있는데, 저는 '교장쌤과 박완서 읽기'를 개설했습니다. 8명의 친구가 신청을 했습니다.

　박완서는 우리 지역과 인연이 있습니다. 인근 구리인창도서관에는 별도의 박완서 자료실이 있고, 구리시는 박완서 기념관을 짓고 있다고도 합니다.

　저는 박완서를 요즘 친구들이 알면 좋겠다는 생각에 〈꼴찌에게 보내는 갈채〉라는 수필집을 선택해 읽어 보려고 합니다. 여기에 등장하는 인물이나 배경이 지금 아이들이 결코 쉽게 이해하기가 어렵겠지만, 그래도 조금씩 밑줄을 그으며 서로 이야기를 나누며 읽어 보려고 합니다.

　'선생님과 함께 책 읽기' 프로그램은 우리 학교 도서관에서 하는 책과 친해지기 프로그램 중 하나입니다. 6명의 교사가 나섰고 아이들이 희망하여 팀이 구성되었습니다. 특별한 형식도 없고, 정해진 장소와 시간도 없습니다. 모인 사람끼리 약속하여 만나서 책을 읽는 겁니다. 8명의 아이를 빨리 만나기를 바라고 있습니다.

이 책에 수록된 여러 편의 수필 중 자기 마음에 드는 것을 읽고, 서로 이야기를 나누어 볼 겁니다. 그리고 시간이 허락된다면 우리 학교 학생들과 인창 지역 주민들을 초청해 박완서 이야기도 나누는 시간을 만들어 보려고 합니다.

그러나 무엇보다 중요한 것은 저와 함께 책을 읽겠다고 신청한 아이들의 마음을 알아야 할 것 같습니다. 박완서를 국어 수업 시간에 잠깐 스친 많은 소설가 중 하나라고 생각할 수도 있습니다. 그 친구들에게 이번 기회에 박완서가 누구인지, 왜 박완서를 읽자고 했는지 여러 관점으로 접근해 보려고 합니다.

지필고사가 끝나자마자 8명의 아이에게 문자메시지를 보냈습니다.

시험 잘 보았나요?

이제 잠깐 5월의 화사한 햇살을 온몸으로 맞아보고 휴식을 취하세요. 그리고 힘내서 다시 내 꿈을 향해 가야지요.

다름 아니라, 박완서 읽기 모임을 5월 7일 교장실에서 한다고 했지요. 그런데 샘이 오랜 기간 학교를 비워야 할 일이 생겼네요. 6월 17일 점심시간에 모임을 가져야 할 것 같아요. 그날 미안한 마음 담아 먹을 것 좀 사놓고 교장실에서 기다릴게요.

대신 여러분은 5월 중 '쐴찌에게 보내는 갈채' 또는 '나의 아름다운 이웃' 중 한 부분을 꼭 읽고 만나요. 짧은 내용이라 금방 읽을 수 있어요. 아 참, 확인했으면 간단하게라도 답변 부탁할게요.

'선생님과 함께 책 읽기' 모임을 제가 더 설레는 것 같죠?

연수 중이지만 가끔 시간이 나면 학교에 간다.

그래봤자 지금까지 겨우 세 번이다.

그것도 월요일 오전이거나 아니면 금요일 오후.

그날은 금요일 오후였다.

이미 복도에는 외부 활동을 하기 위해 나가는 학생들과

여기저기 활동하기 위해 교실로 이동하는 친구들로 가득했다.

엇갈리는 계단에서 불쑥 손이 나온다.

"교장 선생님, 악수해요."

기꺼이 손을 잡는다.

"오늘 힘들었어요. 교장샘 손잡으면 기운이 날 것 같아요."

웃으며 손을 내밀었다.

"샘이 고맙구나. (내 손 잡는다고 기운이 나겠냐)"

곧 여기저기 손이 나온다.

아예 하이파이브로 서로 엇갈린다.

내 고등학교 시절에

나는 친구들 앞에서도 말 한마디 못 하는 샌님이었는데.

부럽구나! 너희들의 발랄함.

무리 지어 경중경중 뛰어가는 뒷모습이 아름답다.

덕분에 내가 힘을 얻는다.

누구냐 너는?

"동그란 오이 보셨어요?"

"너무 귀여워요."

점심 식사 후 교정을 산책하던 선생님들께서 밝게
웃으십니다. 무언가 재미있는 걸 보셨나 봐요. 샘께
서 가리키는 손끝을 따라가 보니 뭐 저런 놈이 있나
요? 뱀이 똬리를 튼 것 같기도 하고 누군가 실례(?)를
하고는 몰래 감춘 것 같기도 하고 저도 모르게 웃음이
나옵니다.

"너는 도대체 뭐니?"

밑에 있는 놈은 죽 뻗어 제법 오이 같은데, 이 녀석
은 왜 요렇게 되었을까요?

또 하나 있어요.

우리 학교 복도에 걸린 그림인데 사진을 찍어놓고 나니 더 헷갈리
네요. 뒤집어 보았다가 바로 세워보기를 반복합니다. 여전히 모르겠
어요. 뒤집으면 사람 다리가 바로 보이는데, 대신 입술은 또 뒤집혀

요. 그러니 바로 걸린 게 맞겠죠?

요게 우리 학생들 작품이랍니다. 저야 그림을 모르지만, 하여튼 대단한 친구입니다. 우리 학생들은 이 그림을 어떻게 볼까요? 한참 동안 고민하다가 혼잣말합니다.

"너는 도대체 뭐야!!"

우리 학교는 덴마크 고교와 교류하고 있어요. 그런데 이왕 교류하는 김에 교육철학도 함께 나누고 싶거든요. 마침 『행복을 배우는 덴마크 학교 이야기』가 나왔어요.

덴마크 학교에서는 다섯 가지 삶의 가치를 가르친다네요. 신뢰, 공감, 진솔함, 용감함, 휘게. 우리 친구들도 배우게 할 수는 없을까요?

그들에게 교육은 '몸, 감정, 창의성, 공감, 인간관계 능력 등을 모두 포함하는 개념'이라는데, 이런 것도 공유하면 좋겠다는 생각이 들었어요.

우리 선생님들과 함께 읽고 있어요. 이번 주 금요일 1교시 회의 시간에 서로 이야기 나누자고 했어요. 우리 선생님들은 어떻게 생각할까? 아~ 궁금합니다.

교사도 연습이 필요하다

무궁화꽃이 피었습니다. 이미 녹색으로 가득한 여름 교정에 무궁화는 선명한 빛깔로 제 눈길을 사로잡습니다. 여름에는 또 여름에 어울리는 꽃이 피어나는 인창고입니다.

"똑같은 수업을 했는데 어떤 학생은 희망을 준다고 말하고, 또 어떤 학생은 현실적인 말을 잘해주지 않는다고 말합니다. 갈수록 수업이 조심스러워집니다."

오늘은 시험 첫날입니다. 시험 끝난 학생들이 일찍 귀가하고 난 오

후, 우리 학교 선생님들은 수업나눔 수업친구 모임을 했습니다. 질문에 적극적으로 손들어 대답하는 선생님들 덕분에 와글와글 분위기는 무르익습니다.

"혼자인 것 같았어요. 학생들도 반응이 없고, 교무실에 돌아와도 모두들 다 열심히 하시는데, 나만 못하는 것 같았어요. 그래서 학교를 옮겼어요. 제가 찾아낸 수업 방법은 학생들이 스스로 하는 거였죠. 처음 하는 수업을 8년이 지난 지금까지도 하고 있습니다. 깨달았죠. 교사도 연습이 필요하다는 걸. 그리고 함께해야 한다는 걸."

이어서 우리는 '최근에 가장 재미있었던 수업은?' '수업성장을 위해 내게 필요한 것은?'이라는 질문을 화두로 잡고 써클을 그려 서로 이야기를 주고받았습니다.

우리 마음은 늘 수업에 있습니다. 수많은 시간을 수업과 평가를 했지만, 만족하고 재미있었던 수업은 손에 꼽을 정도입니다. 그래도 우리는 여전히 수업과 평가에 머물러 있습니다.

선생님, 지금도 잘하고 계십니다. 혼자서 하지 말고 함께 하십시다.

마침 비슷한 시기에 덴마크 학생들이 사진을 보내왔습니다. 우리 학교 국제교류동아리 학생들이 덴마크 류슨스틴 고등학교에 컬처박스를 보냈는데, 그걸 받고 좋아하는 사진입니다. 컬처박스에 태극기, 부채, 과자 등 한국을 보여주는 여러 가지 물건을 넣어서 간단한 설명과 함께 보냈지요. 보내준 사진 속 학생들이 10월에 우리 학교에 올 아이들입니다. 하늘을 둥둥 떠다니듯 기분이 좋았고, 곧 있을 코펜하겐 뮤직 페스티벌에 태극기를 걸어놓을 거랍니다.

덴마크 친구들도, 시험 첫날 전교에서 가장 먼저 등교한 친구도, 그리고 내일 청룡기 야구대회 첫 경기를 하는 우리 야구부 친구들도 무궁화꽃이 활짝 핀 것처럼 바라는 소망이 활짝 피면 좋겠습니다.

감동적인 선생님의 말씀,

"교사들이 하는 일은 지금도 가치가 있다."

"학원은 가지만 학습량을 조절하지 못한다."

역시 프로다운 선생님들이십니다.

우리 학교는 요즘 숲 교육과정이 한창

한 학기가 마무리되는 요즘, 우리 학교는 숲 교육과정이 한창입니다. 숲 교육과정이라니. 이 말의 의미를 이해하기 위해서는 먼저 우리 학교 교육과정을 알아야 합니다.

우리 학교는 학생들의 역량을 키우기 위해 '아름다운 숲'이라는 이름의 교육과정을 운영하고 있는데요. 창체 관련인 '아름' 과정은 '함께 배우는 삶', 교과 연계인 '다운' 과정은 '스스로 서는 삶', 그리고 요즘 한창인 '숲' 과정은 '미래로 나아가는 삶'으로 주로 진로탐색 과정입니다. 나중에 우리 학교 교육과정은 별도로 소개할게요.

그래서 요즘 우리 학교에는 졸업한 선배들은 물론 각 대학의 멘토들도 계속 찾아옵니다. 이미 자기소개서 특강도 했어요. 학생들은 무언가 윤곽이 잡히는 시간이라고 하네요.

그리고 오늘은 열 분의 컨설턴트가 오셨습니다. 오늘부터 3일 동안 1:1 상담을 하게 됩니다. 특히 금요일은 30분의 선생님이 오신다고 하네요. 너무나도 진지한 시간이라 저는 발소리를 죽이고 멀리서 모습을 지켜보았습니다.

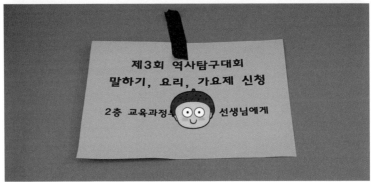

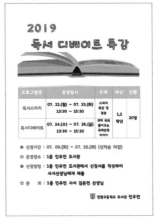

19일이 방학인데 방학을 하고 나서

는 바로 각종 캠프가 이어집니다. 과학캠프는 신청자가 너무 많아 부득이 더 많은 선생님이 진행해야 하는 사태가 벌어졌습니다.

여름방학이지만 학교는 조용하지 않을 것 같아요. 그래서인지 이번 주간에는 학부모들이 계속 학교에 방문하십니다. 월요일은 이미 우리 학교 학부모님들을 대상으로 우리 학교가 진행하는 교육활동을 자세히 설명하는 시간을 가졌고요. 오늘 오전에는 고양, 성남, 용인, 관악에 계신 학부모들이 찾아왔어요. 이런저런 이야기를 나누었고 잠시 숨을 돌리나 싶었는데, 졸업생 학부모님 두 분이 오셔서 반갑게 수다를 떨었습니다. 두 분이 편집위원으로 참여하시는 책자에 원고를 부탁하시네요. 기쁜 마음으로 쓰기로 했습니다. 그리고 이어서 학교운영위원들이 방문하셨고요.

우리 인창고 아이들도 함께 마무리에 한창입니다. 방학 기간 무엇을 하며 지낼까요? 이번 방학에는 모두들 자신만의 큰 경험을 하나쯤 하면 좋겠습니다.
한 학기가 끝나는 시기라 그런가요? 헛바늘이 돋았네요. 지금껏 이런 적은 없었는데, 요 며칠 정말 죽을 만큼 피곤한가 봅니다. 허! 허! 허!

한여름에도 우리 아이들은

'덥다'라는 말이 모자랄 지경입니다. 장마 끝나자 날은 하늘 높은
줄 모르고 기온이 오릅니다. 바다에서 나고 자랐지만, 나이 들어서는
바닷물에 몸을 담근 기억이 가물가물합니다. 돌아가신 아버지께서는
매년 여름 바다에 가면 해변에 있는 우리를 두고는 홀로 바다 저 멀리
까지 헤엄쳐 갔다가 돌아오곤 했습니다.

'아버지 왜 안 오시지?'

걱정할 때면 씩 웃으며 나타나는 아버지. 참 멋있었죠.

언젠가 나도 꼭 저렇게 하리라 다짐했지만, 이제 그 아이는 아버지
보다 훨씬 나이 들었습니다.

여름방학 중인 학교는 겉보기에는 조용합니다. 우리 학교는 수업마
다 시작과 끝 시간이 달라 이번 여름방학에는 종을 치지 않습니다. 어
떤 수업은 90분을 내리 하기도 하고, 어떤 수업은 45분을 하고, 또 어
떤 수업은 100분을 하기도 합니다.

그뿐이 아닙니다. 9시에 시작하는 수업이 있고, 10시에 시작하는
수업이 있습니다. 또 어떤 수업은 오후에 합니다. 아이들은 자기가 희

망한 수업 시간에 맞추어 등하교를 합니다.

그럼에도 학년별 면학실과 학교 도서관에는 하루 종일 공부하는 학생들도 있고요.

아마도 학점제가 된다면 학교는 이런 모습이 일상이 되지 않을까요?

학교교육과정을 어느 정도 정리하고 나니 학부모들과 소통할 수 있는 마당이 필요했습니다. 우리 아이 교육 문제를 함께 고민하고, 우리 아이가 학교에서 무얼 하는지 알 수 있도록, 함께 모여 이야기를 나누면 좋겠다고 생각했습니다. 시골 저녁 사랑방처럼 한데 모일 수 있다면 좋겠지만, 이렇게 온라인으로라도 모이고, 필요하다면 번개모임도 할 생각입니다.

그래서 인창고 학부모밴드를 만들었습니다. 인창고 학부모 또는 인창고를 사랑하는 분들로 함께 행복한 학교를 만들어 갈 분들이면 누구나 환영합니다. band.us/@inchanghs(교장샘과 함께 하는 인창고 학부모마당)를 검색하여 가입하시면 됩니다.

아, 다시 우리 아이들 얘기를 할게요.

종종 교장실에 놀러(?) 오는 아이들이 있습니다. 이 친구들에게 저는 꼭 물어봅니다.

"너는 무얼 잘하니?"

그럼 제가 모르는 세상으로 아이들은 저를 이끌어 갑니다.

"선생님, 어쩌면 선생님은 이걸 아실 거예요."

어느 날 한 친구는 유희왕 카드를 가져왔습니다. 사라진 줄 알았는데 여전히 동호인이 많더군요. 세계대회도 열리고 어마어마하게 비싼 카드도 있고요.

저는 우리 아이들과 대화를 하면서 제가 알고 있던 세계가 얼마나 좁은지 배웠습니다.

아이들에게 물어보세요. 그러면 아이들은 우리가 모르는 자기들의 세상으로 이끌어 갑니다. 정말 놀랍습니다. 우리 학교 아이들은 저에게 큰 스승입니다.

인창고는 미적분을 배우면 기하를 배울 수 없다면서요?

요즘 우리 학교 학생들은 내년 교육과정을 선택하고 있습니다. 선생님들이 자세히 설명하지만, 아이들은 어디서 들었는지 이런 말을 합니다.

"우리 학교는요. 미적분을 배우면 기하를 선택할 수 없대요."

"과학Ⅱ 과목을 많이 개설해서 내신에 불리하대요."

"활동이 너무 많아 공부할 시간이 없대요."

아이들은 재잘재잘 어디선가 들은 말을 쏟아냅니다. 굳이 어디서 듣고 왔는지 묻지 않아도 알 수 있습니다. 우리 학교 교육과정을 제대로 읽어본 것 같지 않거든요.

지난 1학기에 우리 학교는 2020학년도 학교교육과정을 세우기 위해 참 많은 시간을 고민했습니다. 원칙은 분명했습니다.

첫째, 학생들의 선택을 존중하자.

둘째, 과목 간의 학습단계를 고려하자.

셋째, 수능 선택 과목을 학생들이 선택할 수 있도록 하자.

넷째, 학생들이 중등교육에서 꼭 배워야 할 과목을 개설하자.

다섯째, 학점제로 가는 징검다리를 놓자.

아이들의 질문에 차근차근 답합니다.

우선 미적분과 기하와의 관계입니다. 우리 학교는 기하는 2학년에, 미적분은 3학년에 배울 수 있습니다. 수학교과협의회에서 선생님들은 수학의 모든 과목의 학습단계와 연계성을 고민했습니다. 수학을 어려워하지만, 기본적으로 배워야 할 과목은 있다고 판단했습니다. 그래서 확률과통계는 모든 학생이 배울 수 있도록 하고, 미적분 과목은 수학-수학Ⅰ-수학Ⅱ 이후에 선택하여 배우도록 했습니다.

기하 과목은 수학의 다른 과목과는 약간 성격이 다르다고 합니다. 연계성보다는 독립성이 강한 과목이라는 거지요. 그래서 독립하여 선택할 수 있도록 했지요.

우리 학교 학생들은 모든 학생이 수학을 기본적으로 공부하고 기하와 미적분도 선택하여 이수하도록 했습니다. 게다가 심화하여 공부하고 싶은 학생들이 선택하도록 추가 과목을 배치했죠.

과학Ⅱ 과목을 선택할 때 학생들이 주저하는 가장 큰 이유가 내신 등급입니다. 그러나 우리 선생님들은 달리 생각했습니다. 학생 수가 전반적으로 줄어드는 상황에서 상대평가는 약화될 수밖에 없습니다. 수능이나 학교 교과성적이나 모집단이 적으니 해당 등급 아이들은 점점 줄어들 수밖에 없죠. 더구나 지금 아이들이 대학에 갈 시기에는요.

저희는 우리 친구들이 꼭 배우길 바라는 이유에 집중했습니다. 과학Ⅱ 과목은 철저하게 Ⅰ과목을 이수한 후 동일 과목 Ⅱ를 배치하여 학생들이 흥미와 관심이 있다면 이어갈 수 있도록 했습니다.

우리 학교는 학생들이 한 줄로 서기보다는 지금 배우는 공부를 바탕으로 '자존감, 삶과 연계, 자주성'이라는 역량을 키워 세상을 살아가는 힘을 갖기를 원합니다. 두 번째 이야기에서는 국어과와 사회탐구과목에 대해, 그리고 세 번째 이야기는 융합과목과 특색과목에 대해 말씀드리겠습니다.

주변의 어른들께 부탁드립니다. 아이들에게 말씀하실 때는 제대로 알려주시면 좋겠습니다.

탐구교과는 문제탐구 – 해결 과정으로

　　인창고 학생들은 탐구과목(사회, 과학)은 프로젝트 중심으로 학습을 합니다. 내년 선택과목을 신청했는데요. 탐구교과(사회, 과학)는 참 다양하게 선택했네요. 최대한 개설을 할 수 있는 방법을 찾아보려 합니다. 신청한 학생 수는 ( )에 넣었습니다.

　　경제(19), 생활과윤리(101), 세계사(58),
　　정치와법(33), 한국지리(43), 고전과윤리(13)
　　사회문제탐구(32), 여행지리(77)

　　과학 쪽은 어떤가요.

　　물리학Ⅰ(122), 생명과학Ⅰ(122)
　　화학Ⅰ(122), 생활과과학(111), 과학사(16)

　　우리 학교는 과학Ⅰ을 선택하면, 반드시 Ⅱ를 배울 수 있도록 했습니다. 그 이유는요, 학습단계이거든요. 지식 위계에 따라 과목이 있고, 그리고 수업 시간 중 활동이 있습니다. 대학에 들어가기 위해 '배우기 쉽거나 성적이 잘 나오는 과목을 선택한다'는 말은 학교에서 해서는 안 될 말이라고 생각합니다.

중등교육은 보편적인 학습단계에 해당하기 때문에 살아가는 데 필요한 힘을 얻는 공부를 할 때입니다. 학생들이 선택하고 문제탐구와 해결 과정으로 학교교육과정을 세워야 합니다.

물론, 지금도 논의하고 있는 사항은 있습니다. 소수 학생이 선택한 과목은 어찌해야 할지…. 그래도 학생들이 공부하고 싶어 한다면 어떤 형태로든 개설하려고 합니다.

과학Ⅱ를 기피하는 이유 중 하나는 어렵다는 선입견 때문입니다. 그래서 우리 학교는 쉽게 접할 기회를 프로젝트 수업을 통해 제공합니다. 교과와 창체를 연결하여 우리 아이들은 함께, 스스로 문제를 해결합니다.

각 학년마다 프로젝트 과목은 이어집니다. 우리 학교는 팀프로젝트가 필수입니다. 아이들은 1학년에서 3학년까지 적어도 한 번 이상은 반드시 팀으로 프로젝트를 진행하게 됩니다. 학생들이 문제탐색-해결 역량을 키우자는 교육공동체의 합의가 있었기 때문입니다.

이 활동은 학생들에게 자기주도성과 함께 문제해결력을 기를 수 있도록 합니다. 두 역량은 미래 사회에서 꼭 필요합니다. 동시에 대학에서 더욱 필요한 역량이죠.

그래서인가요. 고맙게도 우리 학교 졸업생은 대학에 가서도 주도적으로 학습을 끌어가는 경향이 강합니다. 프로젝트 수업에는 더욱더 두각을 나타내지요.

손님이 오시면 꼭 자랑한단다

점심시간에 그림동아리 아이들하고 이야기를 했습니다.

"요즘은 왜 벽화를 그리지 않니?"

"작년부터 그리지 않았는데, 교장 선생님이 그리지 말라고 하신 거 아녜요?"

"내가? 난 외부에서 손님들이 오시면 그 그림 자랑을 엄청 하는데, 내가 왜?"

우리 학교 복도에는 학생들이 그린 벽화가 여기저기 있습니다. 매년 그리는 거라 제작 연도도 쓰여 있고 그린 사람 이름도 적혀 있습니다. 그림 내용도 참 다양합니다. 혹시라도 학교를 방문하는 분들께는 꼭 보시기를 권합니다.

그런데 요즘은 아이들이 벽화를 그리지 않는 거예요. 미완성 그림도 있는데 아마도 아이들이 시간이 없어 그림을 그리지 않나 보다 했죠. 아이들은 그리고 싶어도 차마 못 그린 거였나 봐요.

"남은 동안 크게 그리기는 힘들어요. 주위를 돌아보며 우리가 할 수 있는 부분은 해볼게요."

내년에는 다음 기수 아이들이 이어가기로 약속했어요.

"선생님, 벽에 걸린 액자를 바꾸는 건 어떨까요?"

"좋지! 너희가 그린 그림이 있니?"

"많아요. 12월쯤에 시험 끝나고 작업할게요."

"그래. 샘도 도울 일이 있으면 챙겨볼게."

아이들과 대화는 이렇게 끝났습니다.

작은 규모라도 벽화를 그리거나 아니면 복도에 걸린 그림을 바꾸겠다니… 학교는 조금이나마 달라질 것 같아요.

"선생님, 올해 농사지은 거예요."

저마다 품에 배추 한 포기씩
안고 학생들이 들어왔습니다.

그 모습이 참 재미있습니다.

"저희는 인팜동아리인데요.
학교 베란다에서 농사지은 배
추예요."

"아, 그렇구나. 텃밭 상자로 농사지었지. 고생했는데 너희가 가져가
렴."

"아녜요. 맛있게 드세요."

저에게도 몇 포기 안겨주고 후다닥 달아납니다.

학교 베란다, 학교 매점 앞 작은 땅, 화단 여기저기. 아이들은 씨를 뿌려 농사를 짓습니다. 학교농사라는 거창한 이름이 붙지 않아도 참 보기 좋습니다.

요즘은 올해 사용한 학교 예산을 살펴봅니다. 학생들 활동실이나 교사들 수업카페를 꾸밀 돈이 있나 찾아보는 거지요. 빠듯하지만 여기저기 남은 돈을 긁어모아 봅니다. 학생회실도 꾸며야 하고요, 연극 동아리실도 제대로 꾸며 주고 싶네요.

이래저래 올해가 가기 전 학생회실을 정비하는 일과 교사들 수업카페를 더 따뜻하게 만드는 일은 할 수 있을 것 같습니다. 내년 예산 중 수업에 사용할 수 있는 돈이 얼마나 있을까? 벌써 걱정입니다.

2020학년도 학교살이를 위한 대토론회 준비

"선생님, 너무나 훌륭합니다."

2020학년도 학교살이를 위한 대토론회 계획서를 보고 감탄을 거듭하다가 쪽지를 보냈지요.

오는 주에는 대토론회에 집중합니다. 일주일의 한 가운데 수요일에 잡혀 있고 철저하게 교사들이 주도합니다. 선생님들로 TF가 꾸려지고 몇 번 모이시더니 너무나 멋진 계획을 세우셨더라고요.

"선생님 덕분에 참 많이 배웁니다."

우리 학교 비전과 운영 기본 원칙을 공유하고 정규교육과정(교과 수업 + 창체 수업) 중심의 학교운영을 할 수 있도록 함께 고민하자는 내용이니 너무나 좋지요. 뚜벅뚜벅 함께 걷고 싶었지요.

제 개인 생각으로 학교가 움직인다면 당장은 제 뜻대로 될지는 몰라도 그게 학교문화일 수는 없거든요. 서로의 생각이 한데 합쳐져 더 나은 방향으로 나아가고 학교운영에 당당한 주체로 우뚝 서고 선생님들의 철학과 가치를 녹여내는 인창고. 이 모습이 바로 혁신학교의 운영원리이기를 꿈꾸고 있습니다.

그런데 이렇게 실제로 이루어지네요. 먼저, 설문을 통해 토의 주제를 받더군요. 토론회 준비팀은 학년부에서 각 1명, 비담임교사 중 1명 이상. 그렇게 구성되어 몇 차례 시간을 내어 부지런히 만나더니 나름 몇 가지 원칙을 정하더라고요.

- 토론회에서 나온 내용과 학생, 학부모의 의견을 취합하여 교직원 회의에서 최종 결정한다.
- 구성원들이 합의한 내용이 실질적으로 내년 계획에 반영되도록 한다.
- 합의 내용은 2월 마중물 연수에서 전입 교사들과 공유한다.

계속 이어집니다.

- 8명 1모둠으로 구성하고 사전에 주제에 따라 모둠 신청을 받는다.
- 이야기 독점을 막기 위해 토킹 스틱을 돌리며 모두 발언하도록 한다.

마땅히 여기서 논의된 내용은 2020학년도 우리 학교 학교운영계획의 기본이 됩니다. 이는 선택도 아니라 너무나 당연한 일입니다. 조금 더 욕심이 있다면, 앞으로 우리 학교에서는 모든 일이 이렇게 흘러가면 좋겠다는 거지요. 자꾸 경험하고 그래서 우리 모두가 학교문화를 만들어 냈다는 자부심이 인창고에 근무하는 우리 선생님들에게 있기를 바랍니다.

주요 토론 주제는 이렇게 잡았더라고요.

1. 깊이 있는 배움을 위한 학교활동 다이어트

2. 내실 있는 창의적 체험활동을 위한 학교활동 다이어트

3. 수업-평가 : 수업친구, 수업공개, 수업규칙

4. 수업-평가 : 수행평가 부담 줄이기

5. 인사 · 업무분장 제안

저는 왜 이 계획안을 보고도 가슴이 끓죠?

우리 선생님들의 모습이 보입니다. 서로 머리를 맞대고 뜨겁게 논의하는.

우리 학교에 맞게, 우리가 뜻하는 대로 천천히 걸어가다 보면, 그 끝에는 우리가 꿈꾸는 그런 교육 세상이 있을 겁니다. 무엇보다도 이 길을 함께 간다는 것이 더 설레게 합니다.

28

2019.12.22

기분 좋은 몸살

지난 금요일 출근할 때부터 몸이 약간 떨리고 목 주위에 이상하게 툭툭 두드러기 같은 것이 불거지더니 퇴근하면서 급격히 몸이 안 좋아 이번 휴일은 어쩔 수 없이 먹고 자고 놀고의 연속이었습니다.

이제 다시 약간 회복… 오히려 정신은 맑습니다. 무엇 때문에 이리 힘들었는지 알아보려고 마치 일기처럼 그날그날 학교 일을 올리는 학부모 밴드를 열었습니다.

천천히 2주 동안 일어난 일을 살펴보니 왜 이리 몸살이 났는지 알 수 있을 것도 같습니다. 샘들을 만나고 외부 인사들을 만나고 학생들을 만나고…. 그러다 보니 잠시 휴식을 필요로 하는 몸이 신호를 보내는 것 같습니다. 사람과 어울리기를 좋아하는 제가 많은 모임에 갈 수 없다고 말하고 있네요.ㅠㅠ

12월 10일 경기도교육청 TV에서 우리 학교를 소개했습니다. 10월에 덴마크 류슨스틴 고등학교와 함께한 공동수업 3일 중 두 번째 날 이야기를 담은 겁니다. '행복지수 1위 덴마크 학생들이 한국에 온다면?'이라는 제목인데요. 역사 수업, 국어 수업, 체육 수업과 저녁에 했던 토크콘서트를 담았습니다. 기억이 새롭네요. 경기도교육청 TV 레알스쿨로 들어가시면 볼 수 있어요.

12월 11일에는 대토론회를 했지요. 전체 모임과 분과 모임을 함께 하면서 업무분장, 수업-평가, 교육활동 다이어트 등 여러 주제로 치열한 토론이 있었고 지금은 2020학년도 교육활동에 반영하기 위해 후속 작업을 하고 있습니다. 선생님들이 뽑은 우리 학교 좋은 점은 '자율, 소통, 토론, 조화'였습니다.

12월 17일 송태효 선생님을 모시고 번개 특강을 했습니다. '어린 왕자와 유럽문화'는 저와 함께 〈어린 왕자〉를 읽은 학생들이 의기투합하여 이루어진 말 그대로 번개 특강이었는데요. 예상보다 많은 친구가 모여 오히려 제가 당황했습니다. 송태효 선생님과 질의응답 하는 모습이 참 보기 좋았어요. 저와 함께 2주에 한 번 점심시간에 모여

〈어린 왕자〉를 읽은 학생은 십여 명 정도이지만, 번개 특강에는 더 많은 학생이 모였지요.

12월 18일에는 덴마크 사람 에밀 라우센이 우리 학교를 또 방문했어요. 16일(월), 18일(수) 이틀에 걸쳐 온 건데요. 월요일은 선생님들과 독서토론을, 수요일은 학생들과 덴마크에 관한 이야기를 나누었답니다. 저녁을 먹자고 하니 "국밥 좋아요"라고 말합니다. 한국에 살면서 한국인과 결혼해서 그런가 우리 입맛을 지닌 것 같아요.

12월 20일에 안승남 구리시장이 우리 학교를 방문하셨습니다. 이 자리에서 건축동아리 학생들이 유현준 교수의 강의를 듣고 이를 리모델링에 반영한 우리 학교의 건물 디자인을 직접 발표하였죠. 지금 건물을 잘 살리고 외벽은 따뜻하게 칠하고, 건물 중간에는 생태공간을 마련하여 소강당을 활용한 커다란 공연장까지 디자인하였습니다. 학생들 작품이지만 매우 세련되었네요. 시장님도 엄지척에 감탄을 거듭

하셨지요.

12월 21일 고양 킨텍스에서는 고등피파 왕중왕전이 열렸는데요. 패자부활전까지 치르고 왕중왕전에 진출한 우리 학교 학생들은 승부차기까지 가는 치열한 접전 끝에 아쉽게도 준우승에 머물렀습니다. 하지만 너무나도 멋진 인창고 친구들입니다. 대단하죠.

어때요? 이 정도면 저도 몸살이 날 만하죠?^^ 이제 12월 마지막 주를 잘 마무리하면 올해는 완성되네요. 모두들 메리 크리스마스!!

Day 1. 덴마크로 가는 길

무려 24시간을 깨어 있었습니다.

덴마크 코펜하겐의 류슨스틴 고등학교를 방문하는 길은 우리 시간으로 14일 새벽 7시에 시작했습니다. 많은 학부모께서 걱정 어린 시선으로 아이들을 환송했습니다. 걱정하지 마세요. 우리 아이들 매우 잘하고 있으니까요. 긴 여정에도 서로 챙기고, 그 와중에도 웃음을 잃지 않고, 무엇보다도 신기한 건 어디서나 매우 잘 먹는다는 사실!

지금 시각이 덴마크로는 새벽 4시입니다. 우리 시각으로는 낮 12시를 넘어서네요. 시차가 8시간 나니까요. 아이들이 소식을 잘 전할 수 없을 수도 있습니다. 종종 학부모 밴드나 페이스북으로 소식 올리겠습니다.

사진을 중심으로 덴마크로 가는 긴 여정을 말씀드릴게요.

환승 공항인 핀란드 헬싱키 공항입니다. 의외로 규모가 작더군요. 그런데 유럽의 여러 나라는 물론 전 세계로 이어지는 공항이라 많은 사람이 오고 갑니다. 아이들은 혼자서 입국심사는 물론 출국심사도

잘합니다. 무엇보다도 시간을 잘 지켜 한결 수월합니다.

　코펜하겐에 도착하여 출국장으로 나가는 길, 아이들은 신났습니다. 자연스럽게 한 무리를 이루어 지나는데 어떤 분이 "차이니스?" 하고 묻습니다. 아이들이 일제히 대답합니다. "노노노노~ 코리아!!!"

　짐을 찾습니다. 오랜 시간을 와서 그런가요. 우리 짐은 참 늦게 나옵니다. 다행히도 분실 사고 하나 없이 모든 아이들이 짐을 찾았습니다. 호스트 친구에게 선물할 거라며 한국에서 잔뜩 챙겨온 아이는 손

에 바리바리 짐을 들고 끙끙거립니다. 아이들 가방이 제 짐보다 훨씬 무겁고 큽니다. 저도 정장을 챙겨오느라 제법 옷을 많이 넣었는데도 말입니다.

공항에서 숙소까지 가기 위해서는 열차나 버스를 이용해야 합니다. 열차표를 끊으라고 하니 이렇게 모여 해결합니다. 확실히 우리 아이들은 전자기기에 딱맞춤이라 쉽게 적응합니다. 36크로네라고 하네요.

열차를 타고 센트롤 역까지 오니 바로 거기가 숙소입니다. 류슨스틴 고교도 여기 있네요. 체크인하기 위해 기다리고 있습니다. 숙소 바로 옆이 학교입니다. 우리 숙소는 제법 규모가 크네요. 남학생들은 그 사이 풀장에 들어가 수영을 즐겼다고 하니 역시 청춘입니다.

저녁 10시경에 저도 자려고 누웠습니다. 역시 기차역이 가깝다 보니 기차 소리가 들립니다. 바람이 제법 세네요. 항구도시라 그런지 밤바람이 찹니다. 그런데도 기온은 영상입니다.

역시 자전거 천국답게 자전거를 탄 젊은이들이 도로를 씽씽 달립니다. 오히려 자동차가 그다지 보이지 않습니다. 도시는 주광색 조명으로 우리 도시와는 다른 분위기를 느끼게 합니다. 아마도 바람이 불지 않았다면 참 예쁜 야경을 오래 볼 수 있었을 텐데요.

이제 본격적으로 15일 1일 차 일정을 시작합니다.

오전 9시에 류슨스틴 고교에 가서 글로벌 시티즌십 매니저인 앤더스 슐츠를 만나고 호스트 가족을 만납니다. 그리고 학교 안내를 받고 1시 40분에 덴마크 학생들과 함께 그들의 집으로 갑니다. 비상연락망을 거듭 확인합니다. 선생님들과 어제저녁 몇 번이고 이 부분을 확인하고 확인했습니다.

저녁 6시에 환영 만찬이 있으니 그때 다시 우리 아이들을 만나게 됩니다.

우리 선생님 한 분은 모든 시선을 '내 아이가 떠난다면…'에 맞추어 살피고 있습니다. 또 한 분은 전체 안내를 담당하시고요. 저는 이렇게 소식 전하는 역할을 해도 될 것 같습니다.

오늘은 그래도 정장을 입어야 할 것 같습니다. 다림질 좀 하고요. 아이들은 깨려면 아직 한참 남았네요. 현재 코펜하겐의 기온은 영상 8도이고요. 자외선 지수 매우 낮음입니다.^^

Day 2. 수업참관과 친구와의 만남

비가 온다던 날씨는 흐리기만 했습니다. 덕분에 우리 아이들이 이동하는 데 큰 지장이 없어 다행이었습니다. 아침 9시가 되어도 하늘은 어둑어둑합니다. 참 신기하죠. 오후 6시는 마치 한밤중처럼 캄캄했는데….

여전히 영상 기온이지만, 몸이 으실으실합니다. 여기 사람들도 반팔을 입고 있는 사람이 있는가 하면, 겨울옷을 입고 있는 사람도 많습니다.

첫날 일정은 앤더스 슐츠와 미아 아드리안 선생님이 호텔로 우리 학생들을 찾아오는 것으로 시작했습니다. 이제는 사진으로 보면서 말씀드릴게요.

우리 아이들이 학교로 찾아가는 길입니다. 오늘은 호스트 가족을 만나는 날이라 모두들 가방을 챙겨 나섭니다. 다음에 나오는 사진의 바로 정면 가운데 보이는 건물이 류슨스틴 고교입니다. 우리는 당연히 이리로 가려고 했지요. 호텔에서 바로 나서면 보이거든요.

　학교 건물을 정면에 두고 우리는 바로 좌회전. 예전에 공장 건물이
고 지금은 다양하게 사용하는 건물들 사이로 몇 분 정도 걸어갑니다.
낙농 국가답게 육가공공장 흔적이 즐비합니다. 한국반 아이들은 주로
여기서 수업을 합니다. 류슨스틴 고교는 한 담장 안에 학교 건물이 있
는 것이 아니라 여기저기 온 동네에 분산되어 있네요. 급할 때는 선생
님들도 자전거를 타고 이동한다고 합니다.

　학교 건물은 낡았습니다. 수업 시간에 따라 이동하고 자유로운 분
위기라 그런지 아이들은 거리낌이 없었습니다. 친구들이 찾아왔습니
다. 작년 10월에 만난 아이들은 서로 포옹하고 난리입니다. 햄릿에 이
런 구절이 있습니다.

　'친구를 사귀려면 마음을 쇠
사슬로 매어 두라.'
　우리 아이들도 굳건한 우정을
간직하면 좋겠습니다.

　우리 학생들과 덴마크 학생들에게 앤더슨 선생님이 류슨스틴 고교가 16개 나라와 교류하는 이유를 설명하며 오늘의 일정을 말합니다. 목소리는 낮지만 차분한 이야기 속에서 선생님의 말씀이 매우 설득력이 있습니다. 류슨스틴 고교가 국제교류를 하게 된 것은 청소년들이 미래에 대한 꿈과 더 나은 세계를 만들기를 바라기 위해서라고 합니다. 처음 청소년들이 10년 후의 세계에 대해 설문을 했을 때 부정적인 대답이 많았다고 하네요. 그런데 과거와 현재를 비교하면 점점 나아

지고 있다는 대답이 더 많다고. 세계는 더욱더 긍정적으로 변할 것이고 그 희망을 청소년들에게 기대한다며 우리 학생들에게도 이런 말씀을 부탁하셨습니다. 생생한 세계시민 수업이었습니다.

　그들의 이런 정신은 그냥 마구 놓은 의자 하나에도 분명합니다. 의자를 자세히 보시면 색깔이 참 다양합니다. 다양성의 문화가 이런 데서도 나타나는 것 같습니다.

오후에는 5개 모둠으로 나누어 참관수업을 했습니다. 영어(셰익스피어 문학), 비즈니스(거시경제), 프랑스어(재미있는 어법), 체육 이론(신체, 해부학), 종교(이슬람주의), 심리학(권위에 관한 실험) 등으로 나누었는데, 일부는 가위바위보로 참관자를 정하기도 했습니다.

기본적으로 여기 수업은 당연히 교사와 학생들이 상호작용이 활발하게 이루어집니다. 저는 영어 수업을 들어갔는데 로미오와 줄리엣을 소재로 치열하게 학생과 교사가 상호작용을 하고 있었습니다. 학생들은 모두 노트북을 가지고 수업에 임하고 궁금한 것은 그 자리에서 검색도 하고 과제는 메일로 제출하기도 했습니다. 한참을 듣다 보니 '독백'과 '방백'에 대한 수업이었습니다. 우리 같으면 아마도 먼저 독백은 무엇이고, 방백은 무엇이라고 설명한 후 수업이 진행됐겠죠.

90분 수업이 어떻게 흘렀는지 모르겠습니다. 학생들은 상상력을 발휘하여 새롭게 만들어 가기도 하면서 로미오와 줄리엣의 대화에 관해 이야기했습니다. 교사는 마칠 무렵에야 '독백은 무엇인가', '방백은 무엇인가'라는 슬라이드를 띄웠습니다. 개념을 설명한 후에는 최근 영화에서 찾아 보여 주었고요. 활동과 참여가 활발하지만, 교사는 수

업에서 놓치지 말아야 할 핵심개념은 꼭 짚어 주었습니다. 참관한 우리 학생은 '수준이 매우 높다'며 감탄하더군요.

　어떤 수업은 불행하게도 덴마크어로 진행되었습니다. 하지만 영어로 질문한 우리 친구에게 영어로 친절하게 대답하더라며 수업 내용을 요약해 오기도 했습니다.

　우리 선생님 한 분이 내일 자율활동을 할 장소로 답사를 간 사이 우리들의 대기실이자 만남의 공간인 릴리토우(Lilletorv)에 있는데 몇몇 학생이 왔습니다. 같이 축구게임을 하자는 겁니다. 그 아이들은 인디 아반이라고 하더군요. 성격도 활달하고 낯선 외부 교사들에게 스스럼없이 대합니다. 한국에서 온 교사라고 하니 '몇 살이냐?'고 물어 함께 있던 선생님과 크게 웃었습니다.

　학교는 건물이 아닙니다. 건물로만 따지면 우리나라에도 세련된 학교가 참 많습니다. 우리 인창고는 그런 점에서 류슨스틴을 닮았습니다.^^ 그 속에 있는 사람들이 중요합니다. 앤더스 선생님의 문화 수업도, 셰익스피어 수업도 감동이었습니다. 미아 선생님의 친절함도 인상적이었고요.

모든 수업이 학생들과 상호작용으로 이루어집니다. 교실에는 최소한의 것만 있습니다. 그럼 되지요. 그 속에 질서가 있습니다. 수업 시간 내내 말하고자 하는 학생은 손을 들지만, 교사가 지목하지 않으면 말하지 않고 다른 학생의 발표를 잘 경청합니다. 웃음도 있고 반론도 있습니다. 활동, 당연히 있고요. 그런데 핵심개념을 꼭 붙잡습니다. 요즘 이렇게 수업을 하자는 건데, 왜 우리는 어수선한 건지 모르겠습니다.

우리 학생들은 홈스테이 가정으로 갑니다. 여기는 3시 30분이면 귀가합니다. 하긴 그래야 할 것 같습니다. 해가 너무 짧아서 쉬이 어둠이 오거든요. 오늘 저녁 7시에는 이 학교 입학설명회가 있다고 합니다. 마침 장소가 우리가 묵고 있는 호텔 체육관입니다.

16일 그러니까 3일 차 일정을 말씀드릴게요. 8시 15분까지 호스트 학생들과 함께 등교합니다. 오전에는 사회수업을 참관하는 학생과 자율활동을 하는 학생으로 나누어 집니다. 11시 30분에는 덴마크의 옛 수도인 로스킬레성과 바이킹 박물관을 관람합니다. 햄릿의 무대인 크론보르성을 꼭 보고 싶은데 기회가 될지 모르겠습니다.

Day 3. 로스킬레 대성당과 바이킹 박물관 견학

해가 났습니다. 날씨가 이렇게도 좋을까요. 한 친구가 이렇게 말하네요.

"미세먼지가 없으니 숨을 마음대로 쉴 수 있어 참 좋아요."

3일 차 일정은 참관수업과 자율활동 그리고 체험활동으로 진행되었습니다.

장소가 모습을 만듭니다. 오늘은 어제보다 더 넓은 장소에 모였습니다. 아침이면 홈스테이 친구들은 우리 아이들을 데려다주고 자기 수업에 들어갑니다. 오늘 모인 장소는 3층인데 Flæsketorvet라는 곳입니다. 넓은 장소이고 함부로 놓인 듯하지만, 가만히 보면 세심하게 신경을 썼습니다. 장소가 이렇다 보니 우리 아이들도 매우 자연스럽습니다. 오늘의 일정을 듣고 서로 협의합니다. 특히 오전에는 희망에 따라 자율활동과 수업참관이 있으니 아이들은 진지하게 계획을 세웁니다. 우리 학교는 이미 이런 모습을 권장했습니다. 저는 이런 모습이 참 좋습니다. 우리 학교가 앞으로 더 지속적으로 유지해야 할 가치이고, 더욱 발전시켜야 할 모습입니다.

　다음에 나오는 사진은 사회 수업의 한 장면입니다. 교사와 학생의 상호작용은 당연합니다. 서로 경청하는 모습도 그렇고요. 마침 담당 선생님은 2018년 가을에 우리 학교를 방문하신 분입니다. 너무니도 반가웠죠. 이렇게 인창고와 류슨스틴 고교 사이에 인연의 탑은 쌓이고 있네요. 마침 1학년이라 수업 문화가 어떻게 형성되는지 그 과정을 유심히 지켜보았습니다. 어제 영문학 수업과 달리 선생님이 지목하지 않아도 자기 말을 하는 친구가 간혹 있었지만, 그래도 전반적으로 차분합니다. '쉬~' 그저 나지막이 신호를 보내거나 눈이 마주치면

금방 경청합니다. 오늘 수업에서는 우리 학생들도 쉽게 이곳 학생인 양 어울립니다. 수업은 텍스트를 미리 읽고 빈칸을 채우는 것으로 진행되었습니다. 역시 학생들은 적극적으로 참여하더군요.

"여기는 듣는 친구도 말하는 친구도 이미 준비가 되어 있어요. 우리와 차이점인 것 같아요."

수업이 끝나고 나가며 우리 학생이 말합니다. 이렇게 배우는 거지요. 차이를 느끼면 배움은 금방입니다. 저는 수업이 어떤 방향으로 가야 하는지 더 세심하게 살펴볼 수 있어 참 좋은 시간이었습니다.

앤더스 선생님이 우리 체험을 돕기 위해 나오셨습니다. 지금까지 공부하던 건물이 아니라 본관 건물에 있는 작은 정원입니다. 학점제에 대비하여 우리 학교도 중간 운동장을 이렇게 학생들이 잠깐이라도 모여 쉴 수 있는 공간으로 만들면 좋겠다는 생각이 더욱 힘을 받습니다. 뿐만 아니라 올해 학생회와 첫 간담회에서 아무것이 없어도 좋고 아무것도 하지 않아도 좋을 공간이 있으면 좋겠다고 했는데 그 요청도 적극 검토해야겠습니다. 4일 차부터는 이 건물에서 수업참관과 각종 활동이 이루어집니다.

우리 학생들이 가장 신나 한 것은 역시 체험활동이었습니다. 대성당은 그 모습으로 웅장했고 바이킹 박물관은 그 자체로도 우리에게 새로운 느낌을 주었습니다. 하지만 아이들은 역사적 사실이나 의미보다도 지금 그 자체를 즐기더군요. 맞아요. 아이들에게 역사는 과거가 아니라 '지금'인 거예요. 이런 것을 우리는 지나치게 역사를 과거만 가르쳤지요. 아이들은 역사가 현재 생활인 것을 알고 있더군요. 바이킹이 되어 옷도 입어 보고 배를 타고 멋지게 폼도 잡습니다. 어떤 소품이라도 아이들에게는 즐거운 상상력의 도구였습니다. 같은 물건을

과거 사람들이 이용했던 방식으로 사용할 까닭은 없지요.

푸른 잔디밭에서는 신나게 뛰기도 하고 서로가 한결 가벼운 기분으로 즐깁니다. 와우. 날씨는 왜 이리 좋은지요. 저도 멋진 풍경에 저절로 상쾌했던 시간이었습니다. 나중에 아이들의 즐거운 모습이나 아름다운 풍경은 새롭게 담아 보겠습니다.

오늘도 아이들은 홈스테이 가정으로 갑니다. 어제 하루만 해도 이야깃거리가 넘치던데 오늘은 또 어떨까요. 게다가 내일은 2학년 학생들이 새로운 홈스테이 가족이 됩니다. 작년에 그랬던 것처럼 내일 만나는 친구들은 2020년 가을에 인창고를 방문하게 되겠지요.

어제저녁 시간에 우리가 머무는 호텔의 체육관 시설에서 공교롭게도 류슨스틴 고등학교 입학설명회가 열렸습니다. 덴마크 입학설명회는 어떤 모습일까요? 요건 숨겨뒀다가 다음 기회에 말씀드릴게요. 한

국하고는 분명 다른 모습이었거든요.

여행은 학습입니다. 만나는 사람들이 모두 교사이고 훌륭한 교재입니다. 여기 선생님들과 나누는 이야기는 폭이 엄청 넓습니다. 깊이는 또 어떻고요. 웬만한 포럼 저리가라입니다. 이것도 나중에 따로 풀어야겠어요. 하이고. 왜 이리 미루는 게 많을까요. 그만큼 배우는 게 많기 때문입니다. 기차역에서 내려 학교로 되돌아오는 길에 한 친구가 그러더군요. "저는 실감이 나지 않아요. 어떻게 제가 지금 이 시간에 여기 있지?"

내일 일정은요. 우리 학생들이 세계시민정신과 문화의 이해 수업 그리고 로젠버그(Rosenborg)성을 방문합니다. 그리고 2학년 학생들과 홈스테이를 교체합니다.

Day 4. 오길 잘했다

　4일 차가 되니 아이들은 지치나 봅니다. 그래도 여전히 새로운 친구를 만나면 다시 생기가 돕니다. 몸이 아픈 친구도 생기고 김치찌개가 그립다는 아이가 생겼습니다. 일정이 너무 빡빡하다는 아이가 있는가 하면, 그래도 이구동성으로 오길 잘했다고 하니 다행입니다.

　오늘 주요 일정은 류슨스틴 학교의 학생위원회(GCP-committee)와의 만남과 앤더스 슐츠 선생님의 수업 그리고 로젠버그성 탐방입니다.

　류슨스틴 고교 본관 건물 2층은 주로 사무실 공간입니다. 교장실과

앤더스 슐츠 선생님의 사무실이 마주 있고 교사들의 공간이 있습니다. 여기에 태극기와 덴마크기가 나란히 걸렸습니다. 민간외교의 산 현장입니다. 이렇게까지 배려하시는 모습이 참 고맙습니다.

홈스테이 가정에서 지내고 다시 우리끼리 만났습니다. 마침 오늘은 류슨스틴 3학년 학생들과는 마지막 날입니다. 작년 10월에 만나 이제 공식적으로는 이별하는 날입니다. 물론, 2학년 학생들과 다시 만나지만 쌓은 정이 있는데 섭섭하죠. 인간의 감정과는 달리 시간은 한 치의 착오도 없이 흘러갑니다.

첫 시간은 바로 학생위원회와의 만남입니다. 학생들끼리 어떻게 국제교류 정신을 이어갈 것인가, 무엇이 궁금해서 오게 되었나 등을 자기들 눈으로 서로 나누는 시간입니다. 단순하게 수업참관하고 체험활동으로 짜여 있으리라 생각했는데 학생위원회와의 만남은 매우 의미 있는 시간이었습니다. 저는 마침 일이 생겨 참관할 수는 없었지만, 많은 이야기가 오갔나 봅니다.

쉬고 싶다는 아이가 생겨 호텔 제 방으로 데려다주고 날이 너무나 좋아 운하 주위를 산책했습니다. 조용하고 다양하면서도 생기가 넘칩니다. 오늘 우리 아이들은 로젠버그성까지 걸어갈 예정인데 날씨가 또 기가 막힙니다. 우리 아이들 참 행운아입니다.

오전 시간은 앤더스 슐츠 선생님의 수업입니다. 우리 학생들만을 대상으로 한 수업이라 기대가 됩니다. 저는 덴마크 아이들과는 다른 우리 아이들에게 어떻게 덴마크 아이들처럼 수업을 진행하실지 궁금

했습니다. 이 시간이 관찰 포인트입니다. 수줍어하며, 교사와 상호작용을 많이 하지 않은 우리 아이들, 그리고 사전 교감도 전혀 없는 상태에서 어떻게 수업을 할까? 역시 잘하시더군요. 화려한 수업 기술 등은 없습니다. 질문과 대답이 전부입니다. 그럼에도 아이들을 집중하게 하는 그 무엇이 있습니다.

기본적인 형태는 질문과 대답이고요. 학생들끼리 의견을 나누게 합니다. 긍정적인 추임새가 계속 이어집니다. "참 중요한 포인트다", "매우 훌륭하다" 등이 계속 이어집니다. 대답이 서툴러도, 목소리가 다 기어들어 가도 고개를 끄덕이고 힘을 줍니다.

찾았습니다. 선생님은 2~3분 간격으로 묻더군요. "What do you think about ~ ?"

우리 아이들은 덴마크 아이들처럼 손을 들지도 않습니다. 선생님의 지목을 기다리지도 않죠. 속으로만 중얼거리는 경우가 많죠. 오우, 그래도 능숙하게 끌어가십니다.

오늘 수업 주제가 무엇인지 궁금하지 않나요? 'Two different ideas of culture'입니다. 이를 dynamic과 essentialism으로 나눈 후 덴마크 학생들과 우리 학생들의 시각으로 내용을 풀어갑니다. 쉽고 구체적인 대답이 나올 수밖에 없더군요. 역시 마무리는 오늘 수업의 핵심으로 돌아가 끝이 납니다. 'Openness for change'가 중요하다며….

점심 식사 후 오늘의 탐방처인 로젠버그성으로 갑니다. 여기는 점심시간이 따로 없으니 제각기 간단하게 싸 온 도시락으로 가볍게 해결한 후 바로 수업이 이어집니다. 아마도 우리 아이들은 이런 부분에서 너무 빠듯하다고 느낄 것 같네요. 저도 오늘은 너무나 피곤했습니다. '녹아내린다, 녹아내린다…' 한동안 그렇게 있다가 다시 찬 바람을 쐬니 정신이 돌아옵니다. 이 사진은 시청에 있는 안데르센 동상입니다. 제가 이 동상을 꼭 만나고 싶었거든요. 오늘 가이드 선생님은 야스퍼 스코우(Jesper Skov)입니다.

시청광장에서 한동안 머물면서 우리 친구들은 멋진 사진을 남깁니다. 키르케고르가 살았다는 곳을 지납니다. 야스퍼 스코우 선생님도 자신의 문화에 대한 자부심과 함께 교육에 대한 고민을 많이 하시는 분입니다. 철학자 키르케고르에 대해 말씀을 하시는데 우리 교육이 얼마나 얕은가를 알게 합니다. 입시용으로만 익힌 키르케고르가 우리 청소년들에게 감동을 줄 리 만무하죠. 한국 교육의 얕음을 어떻게 극복할까? 과제가 또 하나 생겼습니다.

　레고 가게 앞을 지나니 아이들 관심이 증폭합니다. 가게로 들어가 보니 어마어마한 규모더군요. 가만히 지켜보니 어린아이들은 절대로 그냥 지나치지 못합니다. 부모를 끌고 들어옵니다. 우리 아이들도 홀린 듯 들어갑니다.

로젠버그성입니다. 한 폭의 그림입니다. 해자를 드리운 걸 보면 성은 성이네요. 너무나도 아름답습니다. 신하들과 회의하는 장소는 물론이고 집무실, 사적인 공간 등을 하나하나 지납니다. 우리 경복궁과는 또 다른 느낌입니다만 천장에 있는 아름다운 그림, 초상화, 부조 형태로 도드라지게 표현한 각종 역사적 장면들 역시 장관입니다. 집기들은 왜 이리 화려한지요. 반짝반짝합니다. 우리네 왕실은 참 단아했다는 느낌이 듭니다.

우리 학생들의 질문이 쏟아집니다. 이제는 스스럼없이 다가가 질문을 합니다. 참 대견합니다. 오길 잘했다는 말이 쏟아진 곳도 여기입니다. 참 다행입니다. 고맙지요. 듀손스틴 고교, 그곳의 선생님께도 감사드리고 이런 고마움을 느낄 줄 아는 우리 아이들도 고맙습니다. 연수의 처음부터 끝까지 적극적으로 나서 주신 우리 정인샘, 윤정샘도 고맙고요. 아마 우리 아이들이 그 수고하심을 알 겁니다.

자, 오늘은 새로운 친구들을 만납니다. 그런데 어째요. 구면인 듯

서로 반갑습니다. 그냥 만나 같이 하교하는 친구들 같습니다. 이 친구들과는 토요일, 일요일 같이 지내게 됩니다. 덕분에 우리 선생님들도 잠시 휴식… 네, 제 기록도 잠시 쉽니다. 저는 이번 휴일 기간에 헬싱외르에 있는 크론보르성에 다녀올 생각입니다. 햄릿을 만나러 가야죠. 토요일은 비가 오고 일요일은 해가 난다니 일요일에 다녀올 생각입니다.

아 참, 여기 교장 선생님을 만나 인사를 나누었지요. 참 활달하십니다. 그런데 어디나 사람 사는 모습은 비슷한 듯합니다. 참 많이 신경써 주시고 계셨습니다.

Day 5 & 6. 어설픈 교육

이 글은 덴마크 류슨스틴 고교 방문 기간 중 맞이한 휴일 아침에 학생과 대화를 나눈 기록이다. 교육에 대한 고민이 많은 우리의 교육정책 담당자들이 꼭 읽기를 바란다.

……

휴일 아침이라 조금은 느긋하다.

덴마크 방문을 어떻게 생각하는지 궁금하던 차에 학생과 오랜 시간 이야기할 수 있었다. 식사를 하면서 2시간 정도 대화를 했으니 우리도 제법 덴마크 사람들이 즐기는 토론 흉내를 냈던가. 덴마크 학생과 우리 학생의 차이점, 교육제도, 수업 방식 등 참으로 많은 주제로 넘나들었다. 진솔했다. 아마도 멘미그 효과인 듯하다. 비쁘게 시는 한국에서라면 서로가 이런 시간을 낼 수 있었을까. 덕분에 일정 마무리 시간에 모든 학생이 참여하는 기회를 만들겠다는 욕심도 부려 본다.

"덴마크 아이들은 한국에 대해 관심이 많은 것 같아요. 엊저녁 처음 만난 아이들인데도 한국교육제도, 수능시험, 청소년 문화 등 다양한 질문을 많이 하더라고요."

우리가 여기 와서 홈스테이를 했지만 처음 이틀은 3학년 학생들과 그리고 삼일은 2020년에 한국을 방문하게 될 아이들 가족과 홈스테이를 하는 방식으로 진행되니, 어제 만난 친구들은 처음 만난 아이들이 된다. 그게 어제 오후 3시 30분 경이었다. 그 아이들과 함께 집에 가고 각자의 방식으로 하룻밤을 보냈으니 그렇게 길지 않은 시간이었다. 하지만 지윤(가명)이는 끝없이 질문하는 덴마크 아이들 때문에 약간 상기된 표정이었다.

"평소 한국에서도 친구들하고 그렇게 말을 많이 하니?"

아니란다. 더구나 낯선 아이들이라면 더욱 말하기 어려울 거란다.

"어떤 점이 대화를 쉽게 하게 만들었을까?"

만나자마자 악수를 건네며 쉽게 마음을 여는 모습 때문이었단다. 덴마크에 오니 참 많은 생각을 하게 된단다. 사실 덴마크 체험활동을 계획하면서 여러 가지 걱정이 많았지만, 그게 말짱 기우였다.

지윤이는 류슨스틴 고교에서 참여한 영어 수업과 문화 수업을 예로 들며 우리나라 수업에 대해 속 깊은 이야기를 풀어놓았다. 이렇게 생각이 깊었던 아이인가. 새삼 감탄했다.

"네 덕분에 선생님이 힘이 난다."

솔직히 그랬다. 덴마크에 온 이 귀한 시간을 우리 아이들이 조금이라도 '생각하는 힘'을 배운다면 좋겠다는 목표가 헛되지 않았음을 알게 하는 대화였다.

"우리 선생님들의 수업과 덴마크 수업이 어떻게 다른 것 같니?"

덴마크 아이들은 반드시 손을 들고 교사가 지목을 하면 자기 생각을 말한다. 반면에 우리는 손을 들지 않고 말도 잘 하지 않는다. 자기 생각을 잘 드러내지 않는 우리 문화의 영향이 크다. 지윤이는 그 차이는 앤더슨 선생님이 말씀하신 'Power distance'(권력 거리) 영향이 아니겠냐고 한다. 맹목적으로 덴마크의 교육문화를 찬양하지도, 우리 청소년들의 생각을 변명하지 않으면서도 균형감과 깊이를 갖춘 말이 이어진다.

"우리 학교 선생님들도 수업 시간에 학생들이 대답을 많이 하도록 질문을 많이 하시니?"
"글쎄요. 제가 다른 학교 수업을 들어보지 못해서."
모둠수업을 할 때 선생님들이 활동지를 많이 만들어 주시는데 이건 생각해 볼 문제란다. 모둠활동은 아이들이 서로 대화하며 문제를 해결하는 방식이고, 활동지는 개인적으로 답을 쓸 수 있는 내용으로 되어 있어 굳이 모둠활동을 할 필요가 없는 경우가 있단다. 그러니 공부를 잘하는 아이는 모둠활동 없이 얼른 활동지에 답을 적어 버리고 만다. 반면에 그렇지 않은 아이는 혼자서 어렵게 문제를 해결하니 모둠활동이 의미 없게 된다고. 서로 생각을 나눌 수 있으면 좋겠단다. 생각을 나누는 데는 공부를 잘하고 못하고가 아니라 '자기 생각'이 있으면 된다.

그러고 보니 덴마크 선생님들은 이렇게 수업을 하신다.
도입부에 오늘 수업에 대해 교사가 설명한다. 아이들에게 기본적인 자료와 참고자료는 이미 제공되어 있다. 각자 노트북을 이용하니 검색도 자유롭다. 교사는 질문을 통해 학생들이 마음껏 상상할 수 있도록 돕는다. 물론, 이 질문은 복합적이기보다는 간단하다. 한 질문에 하나의 과제를 담았으니 아이들은 그 질문에 집중한다.

교사가 설명을 하거나 질문하는 사이 학생들은 손을 든다. 그냥 앉은 자리에서 함부로 말하는 것이 아니다. 교사는 모든 아이가 고루 대답할 수 있도록 기회를 준다. 어떤 대답이라도 자신의 생각을 표현할 수 있도록 도와준다. 조금 과장이 섞인 추임새도 넣는다.

그렇게 개인 생각을 들은 후에는 반드시 모둠별로 이야기하도록 한다. 아이들은 교사가 던진 질문 범위 안에서 서로의 생각을 나눈다. 그렇게 나눈 후 다시 또 교사는 학생들이 답변하도록 한다. 교사에게 경청의 자세도 매우 중요하다. 아이들과 눈을 맞추고 그 생각에 공감하며 더욱더 사고를 확산하도록 이끈다.

이런 과정이 반복된다. 교사들은 질문을 통해 수업을 단계적으로 이끌어 간다. 처음과 마무리까지 엉성한 것 같지만 잘 짜인 드라마다. 결국, 교사는 수업의도를 확인하고 마무리를 한다. 마무리는 이번 시간의 학습개념을 확인하고 다음 수업에 대해 안내를 한다.

"1학년 아이들도 생각이 많은 눈치였어요."
"그러니? 반가운 얘기인걸."
이번에 온 학생들은 2학년과 1학년이 섞여 있다. 청소년 시기에 1년 차이는 제법 크다. 그럼에도 성과가 어느 정도 있는 것 같아 다행스럽다.

지윤이의 이야기는 이어졌다. 가장 부러웠던 점은 무엇보다도 자기 생각을 말하고 존중하는 사회 분위기라고. 어느 사회나 장단점이 있 듯이 덴마크는 덴마크로서, 우리는 우리의 좋은 점과 부족한 점이 있 는데 무엇보다도 '생각하는 힘'을 기르는 분위기는 정말 배우고 싶단 다. 그래. 고맙다. 네 말을 들어보니 이번 덴마크 국외 체험학습은 멋 지게 성공한 것 같구나.

"자라면서 받은 학교 수업이 전과 비교하여 어떠니?"

"분명 수업 모습도 변하고 있는 것 같아요. 그런데 우리는 어설픈 것처럼 보여요. 남의 것을 마구 모방해서 따라 하다 보니 이것도 아니 고 저것도 아닌 어설픈 수업이 되는 거지요."

'어설픈 수업'이라. 그래, 우리가 시도한 수많은 수업 변화가 아쉬운 점을 찾은 느낌이다. 학생들 눈에는 이렇게 보일 수 있겠구나. 이건 분 명 어느 경험 많은 교육학자의 연구 결과라고 해도 과언이 아니다.

"그래 맞다, 어설픈 수업!!!"

우리 사회에 수업을 바꾸어야 한다는 목소리가 높다. 그 목소리에 맞추어 다양한 수업 형태가 나온다. 그런데 왜 그 수업을 하는가는 간 데없고 형식만 흉내를 낸다. 교육과정-수업-평가-기록 일체화를 말했 더니 그 정신은 어디 가고 지금은 학생부 기록을 잘하기 위한 수단에 만 머물러 있다. 안타깝다. 수업 시간에 학생과 상호작용을 통해 학생 들이 배우는 시간이 되도록 해야 하는데 무언가 아쉽다. 그러니 이 말 은 더욱 아프게 다가왔다. 학생의 눈에 비친 우리의 교육 현실은 어설 픔 그 자체였다.

지윤이는 덴마크는 다양함이 당연한 사회라는 사실에 주목했다. 덴마크는 다양하기 때문에 서로 자기 생각만 내세울 수 없다고 했다. 저 사람의 생각도, 내 생각도 가능한 사회. 그리고 그것을 서로 존중하는 사회. 우리 사회와 덴마크의 차이점으로 가장 크게 배웠다고 한다.

아무래도 난 오늘 아침에 보석 하나를 발견한 것 같다. 이 친구의 이야기를 빨리 우리 땅의 어른들에게 들려주고 싶어 꼬박 노트북을 두드렸다. 덴마크에 와서야 머리로만 알고 있던 보석을 직접 보았다. 지윤이는 지금 내 눈앞에서 자기 생각을 들려주는 귀한 보석이고, 나머지 26개의 보석이 여기에 함께 머물고 있다. 뿐이랴. 우리 학교에는 800개 가까운 보석이 반짝이고 있으니 내 마음이 넉넉해진다.

Day 7. 뉘하운 거리

토요일과 일요일에 새로운 홈스테이 가족과 지낸 아이들을 다시 만났습니다. 덴마크 가족의 모습을 가장 가까운 거리에서 살펴볼 수 있는 시간이었습니다. 오늘부터 우리는 서서히 집으로 돌아갈 준비를 해야 합니다.

이 사진 어떤 그림인 것 같나요? 어제 저는 코펜하겐에서 1시간 거리에 있는 셰익스피어의 〈햄릿〉 배경인 크론보그성에 다녀왔습니다. 거기서 본 이 그림이 너무 재미있어 **부분만 찍었습니다**. 6~7세 정도 되는 아이를 학교에 보내는 장면인데요. 그때나 지금이나 학교 가기 싫어하는 건 여전한가 봐요. 이 그림이 17세기라는데….

처음에는 아이들이 그린 그림을 벽에 붙인 거로 생각했어요. 덴마크는 거리나 벽 어디든 온통 낙서를 하거나 그림을 그렸더군요. 학교 안에 아이들이 자유롭게 이용할 수 있는 이 공간 역시 마찬가지예요. 그러니 '그림이구나' 했는데 액자가 아니라 난방 기구입니다.

오늘 수업 시작입니다. 이 학교는 수업마다 고정된 교실이 없어요. 수업 시간이나 교실은 공지사항을 잘 확인해야 합니다. 인터넷으로 반드시 자기 시간과 교실을 확인해야 하는데 혼란이 없냐고 물으니 자연스럽다고 하네요. 국제교류 수업이다 보니 앤더스 선생님이 또 진행하십니다. 앤더스는 아너스라고 부른다네요. 우리가 잘 알고 있는 '인어공주'로 유명한 작가 안데르센도 아너슨이라고 하더군요.

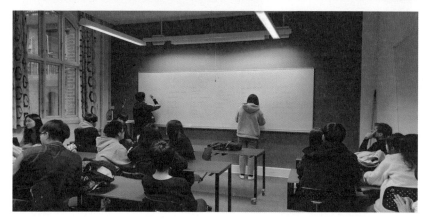

　역시 수업은 교사의 문제 제기와 학생들의 토론과 검색 그리고 발표, 다시 교사의 정리 이런 식으로 진행이 되었습니다. 우리 학생들이 집중을 못 하자 '쉬~'라고 낮게 소리를 내시거나 "교사가 학생과 말할 때는 잘 경청해야 하는 거란다"라며 주의를 주십니다.

　수업 중 몇 가지 꼭 지켜야 할 규칙이 있다는 걸 배웠습니다. 1) 발표할 내용이 있는 학생은 손을 든다. 2) 교사가 지목해야 비로소 발표할 수 있다. 3) 다른 사람이 말을 할 때는 조용히 경청한다. 4) 반론이 있거나 추가 의견이 있을 때도 손을 든다. 5) 교사가 말할 때는 집중한다. 가장 기본이 되는 수업 중 규칙입니다.

학교 담장 밖에 커피차가 왔네요. 여기 아이들은 쉬는 시간에 교실을 찾아 이동해야 하기 때문에 학교 밖에 있는 경우가 많습니다. 더구나 류슨스틴 고교는 건물이 흩어져 있어 학생들이 온 도시에 풀렸다가 다시 사라집니다. 쉬는 시간에는 자기가 공부할 건물을 찾아 도시속으로, 그리고 수업 시간에는 거리는 조용해지고. 점심시간이 따로없어서 이런 시간을 이용해 식사를 해결해야 하기 때문에 커피차에몰리는 모습도 종종 볼 수 있죠. 잠시 쉬는 시간에 주전부리거리에 몰려가는 건 어디나 비슷한가 봅니다.

오전 수업이 끝난 후 우리 학생들은 운하 관광을 했습니다. 운하 관광지 중 하나인 뉘하운(Nyhavn)이야 워낙 알려진 곳입니다. 배에서 바

라보는 너무나도 아름다운 풍경은 유명하죠. 저기 우리 아이들이 탄 배가 들어옵니다. 그동안 매우 좋았던 날씨가 오늘은 흐리고 춥기도 합니다.

하지만 아이들의 모습은 시원해 보입니다. 운하 관광 다음에는 코펜하겐시를 돌아다니며 토마스(Tomas) 선생님과 함께 기후환경 변화에 대비하는 코펜하겐의 모습을 살펴봅니다.

아이들이 배를 타고 코펜하겐을 둘러보는 시간, 저는 걸어서 뉘하운으로 갔습니다. 아이들이 오기 전에 먼저 뉘하운의 풍경을 잠깐 보실까요? 잠시 마음의 평화를 얻기를 바랍니다.

오늘 일정이 모두 끝나고 아이들은 처음 머문 호텔에 여장을 풀었습니다. 이제는 집에 갈 준비를 해야 할 시간이거든요. 내일 일정은 수학 수업 참관만 예정되어 있을 뿐 자유일정입니다. 아이들은 얼마 전부터 자유일정을 달라고 졸랐지요. 무얼 하려고 그럴까. 이제 덴마크 방문기도 서서히 마무리를 해야 하겠군요. 내일은 전체를 돌아보는 글로 대단원의 막을 내릴까 합니다.

Day 8. 수학 수업의 재발견

  아이들이 가장 걱정했던 수업이 수학 수업이었습니다. 이런저런 핑
계를 대서라도 오늘 수업을 빠지려고 잔머리(?)를 많이 굴렸지요.
  "덴마크어로 하면 어떻게 해요?"
  "너무 어려울 것 같아요."
  하지만 우리가 두 번째 날에 왔던 3층 Flæsketorvet에 덴마크 아이들
이 서서히 들어오고 수학 선생님도 이어서 들어오셨습니다.
  "수업 시작합시다."
  덴마크 선생님이 말씀하시자 아이들이 일제히 모였습니다. 넓은 공

간이지만 모두 모이니 또 집중이 됩니다. 걱정은 여지없이 맞아떨어지죠. 오늘의 수업 주제는 '벡터'였습니다. 우리 아이들이야 접해본 적도 없는 얘기니 난감했겠죠. 더구나 1학년 아이들도 있는데요.

처음에는 덴마크 아이들이 주도했습니다.
이 넓은 공간에 여기저기 놓인 까만 상자가 무엇일까 궁금했는데 오늘에야 그 비밀이 풀립니다. 이 상자 한 면에는 흰 칠판이 달려 있었습니다. 여기에 아이들은 개념을 설명하기 시작합니다. 노트북에는 풀이과정이 나오는 동영상도 있고요.

참 다양한 모습으로 수업이 진행됩니다. 설명을 하는 아이, 고민하는 아이. 처음에는 덴마크 아이들이 주도했는데, 어느 정도 시간이 지나니 우리 아이들이 나섭니다. 함께 토론하고 문제를 풀면서 벡터를 어느 정도 이해하는 시간이었습니다.
"덴마크 아이들은 잘 설명해 주더군요. 우리가 벡터를 배우지 않았

는데도 설명을 듣고 문제를 풀 수 있었어요."

"수학 수업이 이렇게 재미있다니 놀랍네요."

우리 아이들의 감탄사가 나옵니다.

이 아이들이 수학 수업이라 빠지고 싶다던 아이들이 맞나요? 급기야는 수업이 끝나고 덴마크 아이들은 다른 교실로 이동하는데도 우리 아이들끼리 문제를 풀고 있는 진기한 광경. 제가 놀랐습니다.

류슨스틴 고등학교에는 국제반이 15개가 있습니다. 이곳 아이들은 입학하면서 나라별 학급을 선택하는데, 그중 한국반을 가장 선호한다고 합니다. 그래서 수학과 사회, 과학이 A등급이라야 가능하다고 합니다. 가장 먼 지역이고 이질적인 문화라 그렇다고 하네요. 괜히 좋았습니다.

이제 내일 아침 모두 모여 작별식을 하는 시간만 남기고 모든 일정이 끝났네요. 우리 아이들은 제각기 방식으로 덴마크에서의 마지막 날을 보내고 있습니다. 애들아, 모두들 고생했다. 우리 선생님들도 수고하셨고요. 무엇보다도 이런 경험을 할 수 있도록 진심으로 도와준 류슨스틴 고등학교 선생님들께 감사드립니다.

　학부모님들, 우리 아이들 건강하게 잘 있다가 돌아갑니다. 한국에서 만나요.

크리스튼 콜을 가슴에 두다

덴마크 교육에서 그룬트비(Nikolai Grundtvig)의 이름은 절대적이다. 야스퍼 스코우 선생님에게 '현대 덴마크 교육에도 여전히 그룬트비가 유효한가?'라고 질문했을 때 그는 신념에 찬 표정으로 그렇다고 대답했다. 그룬트비는 교사에게 시적 상상력이 있어야 한다고 했고 그래야 호기심 많은 아이들에게 상상력을 더할 수 있다고 했다.

덴마크 교육에서 중요한 또 하나의 인물은 크리스튼 콜(Christen Kold)이다. 그는 덴마크 초중등교육의 방향을 바꾸었다. 그가 살던 1800년대 중반 덴마크 교육은 그룬트비 삼촌인 밸레 감독이 주도한 삶과 동떨어진 암기식 위주의 교육으로 아이들이 고통을 받고 있었다. 그 모습이 지금의 우리 상황과 어쩌면 그리도 흡사한지. 그는 암기식 교육에서 벗어나 삶과 연계한 교육으로 바꾸어 지금의 덴마크 교육의 기틀을 세웠다.

우리 청소년들이 견진례를 받자마자 그 '지겹도록 유용한' 지식들을 교정 벤치 아래 처박고선 이렇게 말한다. "하느님, 이 지긋

지긋한 것들로부터 자유롭게 해 주셔서 정말로 감사합니다!" 그리고 또 이런 말도 조심스럽게 내뱉는다. "아, 이제 드디어 숨 좀 쉴 수 있겠구나!" 참으로 안타깝게도, '유용'이라는 이름이 붙은 것이면 그 무엇이든 경멸이 날 정도로, 신물 날 정도로 힘들게 배운 그 '지겹도록 유용한' 지식이 막상 그 교육을 받은 사람들이 실제 생활에 아무런 흔적도 만들어 내지 못하는 것이다.

_『덴마크 자유교육의 선구자 크리스튼 콜』88쪽

이 글을 읽는 동안 대학수학능력시험을 전후해서 한국 고등학교에서 벌어지는 일이 떠올랐다. 그동안 죽으라고 공부했던 책을 버리는 일 말이다. 주저 없이 한 보따리씩 들고나와서는 대기하고 있는 폐지 수거 차량 적재함에 집어 던진다. 그래도 조금이라도 미련이 없을까? 없다. '숨 좀 쉴 수 있겠구나!'가 여기서도 반복된다.

크리스튼 콜은 이러한 암기식 교육을 바꾼다. 그가 남긴 글은 '초등학교에 관한 나의 생각'이라는 30쪽 분량의 논문이 고작이지만, 덴마크의 자유학교뿐 아니라 공립학교 전반에 의미 있는 영향을 끼친다. 그는 초등학교 교육은 '삶을 일깨우고, 삶과 경험에 빛을 비추는 데 도움'을 주어야 한다고 생각한다.

고작 8일 동안, 그것도 덴마크의 고등학교 한 곳에서 생활한 모습으로 덴마크 전체 교육을 말하기는 어렵다. 하지만 27명의 학생과 3명의 교사가 8일 동안 덴마크인들과 다양하게 교류한 경험은 많은 생각의 꼭지가 되었다.

- 류슨스틴 고교 생활 기간
  : 2020년 1월 15일(수)~ 21일(화)
- 수업참관 및 함께한 수업
  : 영어(셰익스피어 문학), 비즈니스(거시경제), 프랑스어(재미있는 어법),
  체육 이론(신체 해부학), 종교(이슬람주의), 심리학(권위에 관한 실험),
  사회(사회의 형태), 문화의 이해(3차시), 기후변화행동, 수학
- 체험활동
  : 로스킬레 성당, 바이킹 박물관, 로젠버그성, 코펜하겐 운하
- 학생교류
  : GCP-committee(Global Citizenship Programme)
- 덴마크 가정생활
  : 2020년 1월 15일(수)~ 19일(일), 3학년 학생 가정에서 2일, 2학
  년 가정에서 3일

우리가 머무는 동안 일정을 조정하고 모든 학생에게 신경을 집중하신 아너스 슐츠 선생님과 미아 선생님, 그리고 한국의 최정인 선생님과 박윤정 선생님의 수고는 말로 형언할 수 없다. 아너스 슐츠 선생님은 류슨스틴의 국제교류를 총괄하시는 분이다. 류슨스틴 고교는 전 세계 16개 국가별로 학급을 편성하고 3년 동안의 교육과정 중에 해당 국가를 방문한다. 우리 학교에는 한국반 학생들이 방문하였다. 2020학년도에도 방문 계획이 있다.

청소년들이 해당 국가를 방문하여 그 나라의 문화를 아는 것도 중요하지만, 무엇보다도 세계시민의식을 앙양하고 나아가 연대하여 미래에 '더 나은 삶'을 살아가자는 목표를 향해 국제교류는 교육과정 속

에서 지속적으로 이어지기를 바란다. 우리 인창고 역시 같은 목표를 가지고 있다. 그 첫걸음을 이번에 온 친구들이 뗀 것이다.

8일 동안 머물면서 배운 점을 정리한다.

1. 학교는 건물이 전부가 아니라는 점이다. 운동장이 있는 것도 아니다. 건물이 마을 여기저기에 흩어져 있지만, 그 건물 안에서 너무나도 폭이 넓은 수업을 하고 있었다. 정해진 교실도, 시간도 없다. 학생이나 교사들은 학교 본부에서 공지되는 수업 시간과 교실을 찾아다니지만, 혼란은 없었다.

2. 공간을 참 알뜰하게 활용하고 있었다. 모든 공간에는 자유로움이 넘쳤지만, 교육적 배려도 곳곳에 숨어 있었다. 학생들이 공강 시간에 이용하는 화이트 스페이스는 단순하지만, 꼭 필요한 교육도구가 있어 교사나 학생들은 언제라도 활용이 가능했다. 칠판, 빔프로젝트는 모든 교실에 있었고, 학생과 교사는 노트북을 활용하였다.

3. 수업은 모두가 반드시 지키는 규칙이 있었다. 1) 발표할 내용이 있는 학생은 손을 든다. 2) 교사가 지목해야 비로소 발표할 수 있다. 3) 다른 사람이 말을 할 때는 조용히 경청한다. 4) 반론이 있거나 추가 의견이 있을 때도 손을 든다. 5) 교사가 말할 때는 집중한다. 가장 기본이 되는 규칙이며 모두가 존중하고 있었다.

4. 점심시간이 따로 없어 각자 준비한 간단한 음식을 빠르게 먹고 수업을 준비한다. 언제라도 이동할 준비가 되어 있는 것처럼 보였다. 그러니 교실에 있는 사물이나 학생들의 짐은 최대한 간단했다. 노트북 하나면 끝. 모든 교실은 인터넷 이용이 가능하니 수업 중 언제라도 자료 검색이 가능하다.

5. 교사들의 별도 사무실이 없다. 관리직을 제외한 교사들은 모두가 함께 사용하는 공간이 있을 뿐이다. 이러니 교사들의 수업도구도 간단했다. 노트북 하나와 판서용 필기도구가 전부. 학습도구를 위한 복사시설은 갖추었지만, 종이가 그다지 필요하지 않은 수업이 많았다.

6. 수업은 거의 대부분 도입부에 오늘의 수업 주제를 교사가 설명한다. 아이들에게 기본적인 자료와 참고자료는 이미 제공되어 있다. 교사는 질문을 통해 학생들이 마음껏 상상할 수 있도록 돕는다. 한 질문에 하나의 과제를 담았다. 학생들이 대답하고 그룹별로 토론한다. 이런 활동이 반복된다. 교사는 모든 아이가 고루 대답할 수 있도록 기회를 준다. 어떤 대답이라도 자기 생각을 표현할 수 있도록 도와준다. 조금 과장이 섞인 추임새도 넣는다. 마지막에 교사는 다시 그날의 수업의도와 학습개념을 확인하고 마무리한다.

7. 모든 수업은 교사와 학생의 상호작용이 일어진다. 특히 교사는 친절했다. 학생들은 수시로 질문을 하고 교사는 그 질문을 함께 고민했다. 90분 수업이지만 지루할 틈이 없었다. 소외되는 아이들도 없었다. 처음에는 교사가 시작하지만, 나중에는 학생과 학생이 가르치고 배운다.

8. 학교 인근에 있는 시설을 매우 적극적으로 활용하고 있었다. 체육 수업은 학교에서 2분 거리에 있는 호텔 실내체육관과 수영장을 이용한다. 이런 부분은 우리가 추진하고 있는 인창 에듀타운과 비슷한 측면이 있다. 너무 많은 시설을 학교 안에 두려고 하지 않아도 된다.

9. 류슨스틴 고교는 학생들이 호기심과 책임감, 도전정신 등을 기르고자 했다. 우리 학교도 자존감, 삶과 연계, 자신감을 갖기를 바라는 교육을 하고 있다. 무엇보다도 그들이나 우리나 청소년들이 미래

에 더 나은 삶을 살아갈 힘을 키워주고 싶은 것이다.

 이제 집으로 돌아갈 시간이다. 아이들의 생각 저 깊은 곳에 무엇이 씨톨로 자리 잡았을지는 모른다. 그건 언젠가 싹이 트고 열매가 될 것이다. 개인적으로도 너무나 유익한 시간이었다. 수업에 대한 고민, 학교운영과 교육과정에 대한 생각, 그리고 크론버그성을 방문한 경험은 아마도 두고두고 입에 담을 것이다. 무엇보다도 참 따뜻하고 순수했던 선생님들, 다정하고 적극적인 학생들은 잊을 수 없을 것이다. 덴마크여 안녕! 류슨스틴이여 자크(Tak)!!

 크리스튼 콜의 이 말을 또 하나의 과제로 담아 간다.

 가르치는 일이 피곤하고 지루한 일로 여겨진다면 그것은 가르치는 일이 끝없는 반복적 일이 되어 버렸거나(사실 대부분이 이 경우다), 교육이 어린이의 능력 범위를 훨씬 벗어난 목표를 세웠기 때문인데, 어느 경우에 해당되든 그런 교육은 아무런 효과가 없다. _『덴마크 자유교육의 선구자 크리스튼 콜』 88쪽

떠나보냄과 맞이함

코로나19 때문에 계획했던 일이 계속 연기와 취소를 반복합니다. 졸업식이 2월에 예정되어 있기에 다른 학교와 마찬가지로 교실졸업식을 했습니다.

우리 학교는 다양한 형태의 협의를 많이 합니다. 학교에 다양한 구성원들이 있는 것처럼 참으로 많은 의견이 있기 때문이죠. 그래도 논의를 하면 우리 선생님들은 아이들을 향한 마음이 기본적으로 나타납니다. 학교 안에서 새로운 시도를 하려는 분들도 있고 기존의 방법을 고수하려는 분도 있지만, 서로 논의하여 어떤 결과를 만들어 내는 모습은 참 보기 좋습니다. 아주 건강한 조직입니다. 고맙지요.

졸업식 관련하여 긴급회의를 했습니다.

"오늘의 안건은 '졸업식을 연기할 것인가? 교실졸업식으로 할 것인가? 아니면 그대로 강행할 것인가?'입니다."

그대로 강행한다는 것은 만장일치로 부결, 연기한다는 것도 2월 일정상 어렵다는 결론이 났습니다. 그렇다면 교실졸업식을 어떻게 할 것인가가 문제인 거죠.

"갑자기 변경되었어도 우리 아이들이 따뜻하고 환송받는다는 느낌이 들도록 합시다."

안 해도 되는 부탁을 하고 본격적으로 논의했습니다.

이미 3학년에서는 학생자치회장을 중심으로 기본 틀이 있었습니다. 아이들이 진행하고, 준비한 것은 다 하자는 데는 쉽게 동의, 논란이 된 것은 공식행사였습니다.

우리 학교는 방송실에서 영상으로 직접 중계가 되지 않습니다. 그렇다면 아예 각 교실에서 학급자치회장이 중심이 되어 다양한 모습으로 진행되는 졸업식이 되면 좋겠다고 했지요. 그래도 선생님들은 전체 진행이 먼저 있어야 한다고 하시더군요.

최종 결정은 방송실에서 국민의례와 학교장 인사, 학생자치회장의 회고를 진행하고, 그 이후에 학급에서 자연스럽게 진행하는 것으로 났습니다. 제 인사말은 간단하게 영상을 녹화하고 방송반 친구들이 자막까지 넣어 주더군요.

이 과정에서 배운 것이 바로 조화였습니다. 제가 생각했던 것은 처음부터 끝까지 학급에서 다양한 모습으로 하는 것이었는데, 우리 선생님들은 그렇게 생각하지 않았습니다.

'따뜻함과 환송', 아이들을 사회에 내보낸다는 마음과 계획했던 졸업식을 하지 못하는 데 대한 미안함이 한데 어우러진 모습이 비록 영상 중계는 못하더라도 간단하게 전체 진행을 하고 학급별 시간이 있으면 좋겠다는 걸로 나타난 거죠.

이제는 선생님들을 맞이합니다. 인사발령이 나고 새로 오시는 분들을 맞이하고 다른 학교로 발령이 나신 분들을 떠나보냅니다. 발령이 나지 않은 몇 자리는 이번 주 안에 채워야 하고요.

그동안 선생님들과 함께 구상했던 2020 계획을 더 구체화하기 위해 이번 주 한 주와 뜻밖에 시간이 더 생긴 다음 주 한 주 더 깊이 생각하고 대화하면서 계획의 빈칸을 채워야겠습니다.

지금 우리 학교는 물 위에 떠 있는 고요한 백조 같습니다. 바깥에서 보기에는 한가롭고 여유 있는 모습일 겁니다. 하지만 눈은 먼 미래를 보고 있습니다. 곧 펼칠 날개를 잘 다듬으며 수면 아래 다리는 부지런히 움직이고 있지요. 인창고의 2월은 이렇게 흘러갑니다.

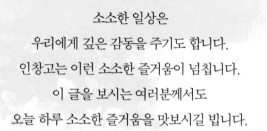

소소한 일상은
우리에게 깊은 감동을 주기도 합니다.
인창고는 이런 소소한 즐거움이 넘칩니다.
이 글을 보시는 여러분께서도
오늘 하루 소소한 즐거움을 맛보시길 빕니다.

까르르까르르

"요즘 어떻게 지내니?"

"그냥 편하게 지낸다."

대구에 사는 동생과 통화를 했습니다.

"집에 가만히 있기만 하니 좀이 쑤신다. 가급적 나가지 않고 책만
보고 있다."

대구 경북 지역에서 확진자가 쏟아지자 동생은 아예 두문불출하고
있다네요.

"그나저나 오빠가 걱정이다. 오빠는 사람들도 많이 만나야 하고 무
엇보다도 아이들도 챙겨야 하잖아."

"나는 괜찮다. 몸조심해라."

언제나 덤덤한 목소리로 덤덤하게 말하는 동생이지만, 그래도 한편
으로 걱정이 되는 건 어쩔 수 없습니다.

아이들이 없는 학교는 쓸쓸합니다. 예정대로 아이들 맞을 준비를
하지만 왠지 신이 나지 않습니다. 작년 이맘때는 무엇을 했을까? 기
억 속의 그날을 자꾸 퍼 옵니다. 작년 이때는 신입생 오리엔테이션을

했군요. 막 졸업한 선배들이 와서 자기 경험을 들려준 그 자리에 아이들의 표정이 무척 밝았다고 기록되어 있네요.

그 전 해에는 무엇을 했는지는 모르겠지만, 그날도 선생님들과 함께 있었나 봅니다. 그 자리에서 어느 선생님이 아이들의 '결'이 다르다는 말씀을 하셨네요. 자기 의견을 내는 데 주저함이 없다는 거지요. 발표도 잘하고 활동적이랍니다. 주눅 들지 않았다는 의미로 받아들여도 될 것 같네요.

아무도 없는 학교지만, 그리 썰렁하지 않습니다. 겨울 추위도 다 지나고 어느새 우리 곁에 온 봄기운이 함께 있기 때문입니다. 우리 학교는 해마다 그림동아리 아이들이 벽에 그림을 그립니다. 어디선가 까르르까르르 소리가 들립니다. 어두운 복도 끝에 아이들이 그린 그림이 있습니다. 밝게 웃는 아이들 그림에는 그 당시 그림을 그린 아이들 이름이 적혀 있습니다.

올해는 어떤 그림을 그릴까? 아이들의 그림은 참 밝습니다.

빨리 개학을 할 수 있으면 좋겠습니다. 학교에는 뭐니 뭐니 해도 아이들이 있어야 생기가 돌지요. 그 전에 지금 돌고 있는 감염병이 깨끗하게 사라져 우리 아이들이 마음 놓고 다닐 수 있으면 좋겠습니다. 다들 애쓰고 있으니 잘 되겠죠.

오늘 아침은 안개가 매우 짙습니다. 마치 우리 상황을 보여주는 것 같습니다.

그림으로나마 아이들의 웃음을 만나 잠시 위안을 얻습니다.

미음(ㅁ) 자 형태로 된 우리 학교에는 유난히 햇빛이 들어오지 못하는 곳이 있습니다. 그곳에 커다란 거울과 웃음 가득한 아이들 그림이 있는 이유는 어둠을 이렇게라도 밝혀보고 싶은 마음이 있지 않았을까 싶습니다.

해마다 그림동아리 아이들이 학교 벽 여기저기에 그림을 그립니다. 그러다 보니 각 그림에는 그린 해와 그린 이의 이름이 적혀 있습니다.

올해는 주제가 무엇일까? 아무래도 이 어려움을 이겨낸 밝은 그림이면 좋겠습니다. 그나저나 학교에 빨리 아이들이 오면 좋겠습니다.

넝쿨장미가 담을 넘고 있다
현행범이다
활짝 웃는다
아무도 잡을 생각 않고 따라 웃는다
왜 꽃의 월담은 죄가 아닌가?
– 반칠환, '웃음의 힘'

웃음이 필요한 시간입니다. 하하하

학교가 그리운 휴업 연장 기간에 학부모님들께

23일이면 학생들이 학교에 오리라 생각했습니다. 하지만 코로나19
가 그리 만만치 않나 봅니다. 다시 4월 6일로 등교 일정이 조정되었습
니다. 학부모님들 마음도 복잡할 것 같습니다.

안녕하세요? 아이들도 건강하게 잘 지내고 있죠?

학교는 이 기간 우리 아이들을 위해 무엇을 하고 있는지 궁금하실
것 같아 방역 활동, 학습지원, 학생생활지원으로 나누어 그동안 진행
했거나 준비하고 있는 일을 말씀드리겠습니다.

1. 방역 활동

교실 전체는 이미 방역을 마쳤습니다. 그러나 아이들이 오기 직전
또 방역을 합니다. 등교한 이후에는 수시로 방역을 할 예정입니다.

등교를 할 때 아이들은 중앙 현관으로만 입장이 가능합니다. 8시 20
분에 문을 열어 모든 아이가 화상열감지기를 통과합니다. 화상열감지
기는 여러 명의 아이가 순간적으로 지나가도 자동으로 모니터에 체온
이 표시됩니다. 열이 높은 학생은 바로 옆에 있는 일시적관찰실로 옮
겨 보건교사가 체온을 측정하고 상태를 살펴 후속 조치를 합니다.

각자 교실 앞에서는 비접촉식 체온계로 다시 체온을 재고 손소독제를 사용합니다. 혹시 마스크를 준비하지 못한 학생들에게는 학교에서 마련한 마스크를 제공하고요. 교실에서는 모두 한 줄씩 앉습니다. 23일부터 각 교실의 손잡이, 사물함, 책상, 각종 비품은 소독약을 사용해 닦을 예정입니다.

2. 학습지원

처음 휴업명령기간에는 홈페이지에 학생들의 학습과제를 제시했습니다. 하지만 이번에는 구글클래스룸을 이용하기로 했습니다. 이미 국·영·수·사·과 교과는 모든 교과 선생님들께서 방을 구축하였습니다.

학생들에게는 담임 선생님들께서 생성된 코드를 23일을 전후하여 이아엠티처 앱을 통해 문자로 전송합니다. 학생들은 그 방에 들어와 선생님들께서 올린 학습과제를 보거나 동영상을 시청하면서 등교 전까지 학습 준비를 하면 됩니다.

3학년 학생들에게는 별도의 EBS 라이브 수업을 안내하였습니다.

구글클래스룸은 모든 컴퓨터와 휴대폰으로 입장이 가능합니다.

3. 학생생활지원

이미 담임 선생님들과 학생들은 문자로나마 인사를 나누었습니다. 계속하여 단톡방이나 기타 학교 전화를 통해 선생님들은 학생들과 소통하게 됩니다. 당분간은 이 체제를 계속 유지해야 할 것 같습니다.

학생인권안전부에서는 가정통신문으로 학생생활안전에 대한 안내를 보냈습니다. 노래방이나 PC방 등 여러 사람이 가는 곳 이용 자제,

외출 시 마스크 착용 생활화, 무엇보다도 손 씻기 생활화 등으로 4월 6일 등교일에 밝고 건강한 모습으로 서로 만나길 바랍니다.

아이들이 등교한 날에는 전체 학생을 대상으로 심리적 안정을 위한 심리지원을 계획하고 있습니다.

대학입시에 대한 궁금증을 풀어주기 위해 진로진학 상담 선생님은 10시에서 16시까지 학교에서 여러분의 전화를 기다리고 있습니다.

코로나19는 전 세계적인 현상입니다. 우리 모두가 다 처음 겪는 일입니다.

동시에 새로운 일을 할 수 있는 시기이기도 합니다.

우리 아이가 태어나서 엄마, 아빠 곁을 떠날 수 없었던 그 어린 시절 이후 처음으로 많은 시간을 함께 있는 시간입니다. 아이와 더 많은 이야기를 할 수 있고 고민을 나눌 수 있는 시간입니다.

친구가 되어 주세요. 하라고 명령하기보다는 의견을 말씀해 주세요. 우리 아이들도 답답하고 불안하거든요.

교정에 꽃들이 서둘러 핍니다. 우리 아이들이 교정에 가득한 날이 서둘러 오기를 간절히 빕니다. 가정 내 평안하시길 빕니다.

온라인 개학을 합니다

교정에 홍매화, 목련, 개나리, 수유가 한창입니다. 그러나 어디에도 우리 아이들은 없군요. 꽃이 지기 전에는 아이들이 등교할 수 있도록 기도했건만 결국, 온라인 개학이 결정되었습니다. 단계적 온라인 개학은 사상 처음입니다. 3학년 아이들은 4월 9일(목)에 온라인으로 개학하고, 1, 2학년 아이들은 4월 16일(목)에 온라인으로 개학합니다.

대학입시 일정도 조정되었습니다. 대학수학능력시험은 12월 3일(목)입니다. 수시를 지원하기 위한 학교생활기록부 작성 기준일은 9월 16일(수)이고, 정시 지원을 위한 학생부 작성 기준일은 12월 14일(월), 수시 원서접수는 9월 23일(수)~29일(화), 정시 원서접수는 1월 7일(목)~11일(월)입니다. 참고로 3학년 학생들을 대상으로 하는 6월 모의평가를 6월 18일(목)에 실시합니다.

당황스럽죠? 온라인 개학도 처음이고 대학입시 일정이 미뤄지는 것도 처음이니까요. 그래도 우리 아이들에게 학교 교육이라는 소중한 경험은 꼭 하게 해야 한다는 마음은 모두가 같을 것입니다. 우리 학교 선생님들은 차분하게 온라인 개학을 준비하고 계십니다.

어제는 우리 학교 온라인 수업 지원단 선생님들이 모였습니다. 온라인 수업 지원단은 기술지원, 교수학습지원, 행정지원으로 구성되어 학생, 교사들이 온라인으로 수업하는 데 부족함이 없도록 최선을 다해 지원할 것입니다.

오늘은 9시에 부장단 회의가 있었습니다. 우리 학교가 그동안 진행했던 온라인 상황을 점검했습니다. 그리고 지금 시간은 교과별로 온라인 수업을 협의하고 있습니다. 학생들이 쉽게 접근하면서 선생님의 피드백을 받을 수 있을 겁니다.

우리 학교 선생님들은 학생들에게 교과서를 택배로 보내기로 했습니다. 인창고 로고가 찍힌 상자에 교과서를 담고 정성을 담은 글도 쓰신다고 하네요. 금요일이나 다음 주 월요일에는 받아볼 수 있을 것입니다. 그리고 온라인 개학일에 맞추어 우리 학교 공식 온라인 플랫폼인 구글클래스룸으로 시간표와 수업 방법, 출결 확인 등을 상세하게

안내합니다. 이 내용은 학교 홈페이지에도 게시하겠습니다.

온라인 개학은 학교 공간이 온라인 세계로 옮겨진 것이고, 우리 학교는 구글클래스룸에 임시로 학교 건물을 옮긴 거로 생각하시면 됩니다. 거기에 우리 선생님들이 계시고, 아이들은 거기서 선생님들과 함께 공부하는 것이죠. 어쩌면 가상공간에 익숙한 우리 아이들은 그다지 낯선 일이 아닐 거라는 생각도 듭니다.

인창고 교직원 모두가 한마음으로 아이들이 교육활동을 알차게 할수 있도록 온라인 개학을 준비하고 있습니다. 부모님들께서도 함께해주시면 고맙겠습니다. 코로나19는 쉽게 물러가지 않을 것 같습니다. 그래도 우리 아이들 교육하는 일은 결코, 지치거나 포기하지 않겠습니다. 함께 힘내고 차분하게 앞으로 나아갑시다.

4월, 이 계절이 희망입니다.

새로운 가능성을 모색하는 기회 만들기

딩동!! 쪽지가 날아왔습니다.

'다음 주 수업나눔 시간에는 부득이 원격수업을 참관하고 이야기를 나누고자 합니다. 수업에서 가장 중요한 학생들의 이야기를 들어보기 위해 가능하면 함께 들어가는 학급 단위 모둠을 운영합니다.'

원격수업을 하니 오히려 전문적 학습공동체가 더 활발히 진행됩니다. 작은 모임도 벌써 두 번. 다음 주는 전체가 모이겠다는 거네요.

24일(금) 소그룹 모임에서도 수업 경험이 오갔습니다.

"저 선생님이 내 선생님이면 좋겠다는 생각을 했어요. 강의 동영상도 그렇고 과제도 아이들이 하고 싶어 하도록 잘 구성되어 있더라고요. 참 좋았어요."

"모든 학생에게 자기 캐릭터를 그리게 해서 그걸로 구글클래스룸 대문에 넣게 하시더군요. 그 선생님 단원이 '자기 캐릭터 그리기'이었어요."

"아이들의 대답이 역시나 단답형으로 나오더군요. 마지못해 나오는 대답이었어요. 어느 반은 질문이 많이 나왔어요. 온라인이지만 아이들의 성격을 알 수 있을 것 같아요."

"젊은 시절에 채팅을 한 적 있죠? 그때 이런 말을 들었어요. 채팅이 길어지기 전에 만나야 한다고요. 채팅으로 생긴 환상이 굳어지기 전에 만나야 그 사람을 제대로 볼 수 있어요. 우리도 빨리 만나면 좋겠어요."

빨리 서로 만나야 한다는 말에는 모두들 고개를 끄덕였습니다.

저도 초대받아 들어간 몇 수업에 대한 느낌을 말씀드렸죠.

"저는 맥락을 주로 살펴보았어요. 원격수업이지만 우리 학교 선생님들 수업에는 흐름이 보였어요. 제가 들어갔던 9개 클래스룸은 핵심 개념이 짧게 제시되고 학생들이 활동을 하며 사고를 확장할 수 있도록 구성되어 있었어요. 선생님들의 피드백도 활발했고요."

세상은 학교에서 원격수업이 어떻게 진행되는지 궁금한가 봅니다. 아이들은 컴퓨터 화면만 들여다보고 있는 것이 아닙니다. 그렇다고 선생님들이 시간 내내 강의만 하시는 것도 아닙니다. 사고를 확장할 수 있도록, 경험을 키우도록 수업을 디자인하십니다.

"동영상 강의나 콘텐츠 수업이나 가장 큰 걱정은 대부분 지식 위주로 진행된다는 점이에요. 제 수업도 살펴보면 그렇거든요. 그런데 이 자료를 만드는 데 시간을 많이 빼앗겨요. 아이늘이 스스로 배움을 키워갈 수 있는 수업을 아쉬워합니다."

세상은 걱정하는 목소리가 들리는데, 저는 이런 말씀 드립니다.

"걱정하지 마세요."

선생님들이 무엇을 고민하는가를 유심히 살펴보세요. 우리 선생님들의 고민에 박수를 보내주세요.

우리 학교 금요일은 창체활동이 모여 있습니다.

'온라인 창체 공장 공장장'이라는 샘께서 재미있고 유익한 자료로 구성하였습니다.

'새로운 가능성 모색하는 기회 만들기

어쩌다 온라인 창체 공장을 돌리게 되었는데요.

창체활동 온라인으로 하는 것 정말 좋아요.

학생들에게 꼭 필요한 교육인데,

학교에서 TV로 영상 보여주는 것보다 훨씬 좋아요.'

공유와 의견 교환이 활발하네요.

'2020 과학중점 드림비전 프로젝트 특강 3'은 유튜브로 진행합니다. 졸업생 3명과 재학생들이 진로진학에 대한 궁금증을 풀어놓습니다. 예전 같으면 대면으로 했을 텐데 이번에는 유튜브로 진행합니다.

'미래에 하고 싶은 걸 모르겠는데 좀 늦은 건가요?'

'시험 준비에 문제지나 인강 같은 거 어떻게 혼자 준비할까요?'

'통합기행은 생기부에 들어가나요?'

'1학년 때 생기부를 잘 못 챙겼는데 2, 3학년 때 열심히 하면 학종으로 갈 수 있나요?'

새삼 느낀 건 우리 아이들은 영상으로 하는 소통에 익숙하다는 점이었습니다.

인창고의 원격수업, 이미 길을 찾았습니다.

학교는 안전해야 한다

'학교는 안전해야 한다. 안전한 공간으로 만들기 위해 어른들이 힘을 합치자. 교육부, 교육청, 보건당국, 교사, 학부모···. 아이들이 학교로 오고 있다. 시간이 없다. 우리가 모두 안전한 공간에서 교육활동을 할 수 있도록 모두 힘을 합치자. 움직이자. 무료 자가진단키트, 교정에 간이검역소만 있어도 가능하다.'

3일 동안 아이들이 등교하여 수업을 하는 장면을 지켜보았습니다. 그리고 독일 학교가 떠올랐습니다.

독일 북부 작은 마을 노이슈트렐리츠의 고등학교는 등교한 학생들이 운동장에 설치된 진료소 텐트 안으로 들어갑니다. 2m 간격으로 선 아이들이 진단키트를 들고 면봉을 입 안 깊숙이 넣어 목구멍 안쪽 벽면을 긁습니다. 면봉을 보관용기에 담아 라벨을 붙이는 시간까지 2~3분. 다음날이면 결과가 나옵니다. 음성이면 학교에 가서 초록색 스티커를 받습니다. 4일 후 다시 검사하기 전까지는 마스크를 쓰지 않고도 학교 안을 돌아다닐 수 있다는 표시입니다. (국민일보 5월 12일)

독일이 하는데 우리라고 못 할까요? 당장 저라도 보건 당국과 협의를 해야겠습니다. 학교 안에서는 안전하면서도 자유롭게 교육활동을 해야 합니다.

20일에 등교를 시작하여 22일 금요일까지 3일간 학교 모습을 기록으로 남깁니다.

1일 차(20일, 수) 등교 시작

8시 30분~40분 사이로 등교 시간을 안내했지만, 아이들은 8시 전에 벌써 학교에 왔습니다. 기특하게도 안내판에 있는 대로 불편하지만 모두 화상열감지기가 있는 정문 현관으로 오더군요. 비교적 '거리두기'는 잘 지켜졌습니다.

많은 선생님이 나오셨습니다. 두 대의 열감지기로 감지하는 거라 10분 동안에 대부분의 아이가 통과를 했습니다. 이제는 교실, 담임 선생님들과 반가움은 미루고 비접촉식 체온계로 온도 측정을 하고 자기 책상을 닦았습니다. 담임 선생님께서 학교생활 안내를 하시고, 보건 선생님께서 자세하게 방역에 대해 말씀하셨습니다.

이어 수업. 마스크를 쓰셨지만 목소리가 카랑카랑합니다. 대부분 마이크를 쓰지 않더군요. 쉬는 시간, 점심시간도 그럭저럭 아이들은 제법 조용하게 보냈습니다. 산책하다가 선생님을 만나면 반갑게 달려듭니다. 선생님께서 소리칩니다. "거리두기!!" 순간 멈칫합니다.

2일 차(21일, 목) 학력평가

오늘은 어제보다 더 이른 시간에 등교를 합니다. 학력평가를 보기 때문이죠.

"늦어도 괜찮아. 천천히 걸어 올라가."

계단을 뛰어오르는 아이를 보았습니다.

마스크를 썼기에 호흡이 가빠 단번에 5층 자기 교실까지 가지 못하는 아이들도 있습니다.

마스크와 장갑을 착용한 선생님이 문제지를 나누어 줍니다. 복도를 지나가는데 시험 치다 말고 인사를 꾸벅하는 학생도 있습니다. 교실 안에서 책상 간격을 두기 위해 사물함을 복도로 내니 줍니다.

교사들은 서서히 한계가 오기 시작하는 것 같습니다. 일과 중 거의 빈틈이 없기 때문입니다. 그래도 긴장의 끈을 풀 수는 없습니다.

학생을 이송해야 하는 경우는 인근 보건소와 긴밀하게 협조하고 1차 학부모, 2차 교장, 교감, 행정실 주무관이 지원하기로 했습니다. 그렇게 준비해도 하루에 3명이 실려 가니 정신이 하나도 없더라는 인근 학교 교장의 말이 크게 다가옵니다.

3일 차(22일, 금) 교사 피로도 상승

아침 등교 시간은 어느 정도 안정이 된 것 같습니다. 학생들도 자연스럽게 손 소독제를 바르고 화상열감지기를 통과합니다.

마스크를 쓰고 수업하시는 선생님들이 걱정입니다. 저는 몇 분 정도의 짧은 시간도 못 하겠더군요. 그런데 어떻게 하실까? 방법이 없을까?

이번 주는 2학년이 등교합니다. 그다음 주는 1학년이 오지요. 학교가 꽉 찹니다. 매일 등교와 격주제 등교는 찬반이 팽팽합니다. 교사는 오히려 매일 등교 비율이 높고 학부모들은 52:48로 팽팽합니다. 학교는 안전한 공간이라야 합니다. 우리 학교만 하더라도 아이들이 700여

명, 교직원이 100여 명, 약 800명이 살아갑니다.

학교에 오면 그 안에서 자유롭게 생활이 이루어지려면 어떻게 해야 할까? 다시 글 첫머리로 갑니다. 학교를 어떻게 안전한 공간으로 만들고도 교육활동이 잘 이루어질 수 있도록 할 수 있을까요? 독일 학교를 우리도 참고할 수는 없을까요? 언제까지 겹겹이 둘러싸고 분반을 하고 격주, 격일 등교를 하며 버틸 수 있을까요?

아직 불안하지만

코로나19 확진자 숫자는 여전합니다. 이제는 아주 가까운 곳에서 환자가 발생합니다. 우리 옆집이기도 하고 가족이기도 합니다. 그만큼 일상이 되었다는 의미입니다. 하루하루 조마조마 불안하면서도, 그래도 우리 학교 모든 공동체는 건강하게 일상생활을 합니다.

예전처럼 활짝 학교 문을 열지는 못하지만, 아이들도 마음껏 교육활동을 하지는 못하지만, 조심스럽게 활동 수업을 시작합니다. 코로나19 시대라고 마냥 위축되어 살 수는 없기에 한 발 한 발 새로운 일상으로 들어갑니다.

아이들과 교사들은 마스크를 하고, 마음껏 모둠수업을 하거나 토론을 하지는 못하지만 혼자 앉아서 무언가 할 수는 있을 겁니다. 우리 선생님들은 새로운 방법을 찾아냅니다. 희망을 받아 최소 인원으로 외부 강연도 엽니다. 입시간담회도 몇 차례 열었습니다. 그냥 있어서는 안 되겠기에 조심하면서도 우리의 교육활동은 온라인이든, 오프라인으로든 오히려 그 영역을 더 확장합니다. 아슬아슬한 줄타기가 계속되지만, 학교는 멈출 수 없습니다.

야구 주말리그가 갑자기 일주일 연기되었습니다. 이렇게 예측할 수 없는 일이 다반사입니다. 그래도 어느 정도 학교에서의 시간은 안정적이면 좋겠습니다.

이런 고민을 '코로나19 시대와 공교육'이라는 제목으로 칼럼에 담았습니다.(《내일교육》 958) '우리는 왜 학교를 여는가?'라는 질문으로 시작해서 다음과 같이 맺었습니다. '코로나19는 위기이기도 하지만 교육의 본질로 돌아갈 수 있는 절호의 기회이기도 하다. 점수를 따기 위해 아등바등하는 과거의 교육을 벗고 우리 삶을 탐구하고 공동체에 대한 인식의 폭을 넓히는 기회로 만들면 좋겠다. 공교육은 위기일수록 더욱 빛나야 한다.'

어수선하게 시작했지만, 불안하게 한 학기를 보내고 있지만, 학교에는 웃음을 잃지 않는 학생들과 선생님들이 있습니다.

덴마크 류슨스틴 한국반 아이들이 졸업한다고 하니 우리 아이들이 축하 인사를 합니다. 아침 등굣길에 우리 아이들이 앞다투어 짬을 냅니다. '축하합니다'는 반드시 한국어로 해달라고 하네요.

'덴마크 문화의 이해' 수업을 도와주던 에밀은 다시 덴마크로 돌아간다고 합니다. "인창고를 잊을 수 없어요. 덴마크에 가서도 늘 여기를 생각할 거예요."

어쨌거나 우리 일상을 코로나가 많이 바꾸고 있습니다. 그래도 인창고는 여전히 아이들을 품고 희망을 나누겠습니다.

43 2020.07.05

'휘게'의 시간

점심을 먹고 나면 어떻게든 쉬는 시간을 확보하려고 합니다. 덴마크 사람들이 말하는 '휘게'를 단 5분이라도 누리고 싶은 거죠.

커피에 얼음을 타서 시원하게 한 잔 만들어 손에 들고 읽고 있는 책을 펼칩니다. 아니면, 운동장에서 달음박질치는 아이들을 보기도 하고 몇 마디 대화를 나누기도 합니다.

"교장 선생님이세요?"

아침마다 아이들과 인사를 주고받지만, 여전히 학교에서 가장 낯선 존재. 그러니 아이들은 자꾸만 묻습니다.

"그래."

"아, 안녕히세요!!!"

어느새 인창고에 부임한 지 2년이 지나갑니다. 요즘 들어 부쩍 위치에 대한 생각이 많습니다.

'인생에 등수는 의미가 없습니다.'

라디오 진행자가 이런 말을 합니다. 저는 이런 마음으로 살아가려고 애썼습니다. 등수를 매기지 않거나 등수를 매기는 자리에 있으면

- 181

그렇게 곤혹스러워했죠.

"우리 선생님들께 부탁드립니다. 저는 우리 학교가 혁신학교로서, 그리고 공교육의 모델로서 앞으로 어떤 모습을 그려야 나갈까를 남은 2년 동안 선생님들과 함께 세우고 싶습니다. 이른바 '인창고의 미래 비전'이죠. 또한, 원격수업과 등교수업이 반복되는 상황에서 우리 아이들의 삶이 더 확장될 수 있도록 교육과정, 수업, 평가를 디자인하는 시간이길 바랍니다."

교직원회의 시간에 이렇게 말씀드렸습니다.

다음 주에는 우리 학교 교사회, 학생회, 학부모회와 연석회의를 하려고 합니다. 각각의 역할, 함께 행복한 학교, 인창고를 만들어 가기 위해 머리를 맞대고 방법을 협의하려는 것입니다.

이런저런 생각이 많은 시기입니다. 학교교육과정을 수립하는 시기라 교과마다 요구하는 사항도 많고 풀어나갈 방법이 쉽지는 않습니다. 그래도 저는 우리 선생님들의 지혜를 믿습니다.

2020학년도 교육과정을 수립할 때 세웠던 우리 학교 학교교육과정의 세 원칙은 이렇습니다.

1. 학교교육 내실화 : 학생부와 수능 준비를 학교 안에서 할 수 있도록 한다.
2. 학습단계에 따른 성취 : 모든 교과는 단계성을 고려하여 개설한다.
3. 학교특성교과와 창의융합교과 편성 : 덴마크 문화의 이해, 팀프로젝트, 사회과제탐구 개설

이를 중심으로 학점제에 대비도 하려고 합니다.

생각이 많은 시간에도 여전히 교정에는 꽃이 피고 열매를 맺습니다.
살구 열매가 저리 뚝, 뚝 떨어져도 아이들은 무심합니다.
도라지꽃이 참 예쁘네요.
봉숭아꽃이 피었어요.
여전히 살아 있는 모든 존재는 저리 열심히 세상을 살아내는데, 무언가 '버티고' 있다는 느낌이 강한 요즘. 그래서 더더욱 내려놓고 싶다는 생각이 강하게 드는 요즘입니다.

온라인 시대를 살아가기

온라인 시대를 건너면서 우리 사회는 '계몽시대'와 '혼돈의 시대'가 같이 있다는 생각을 합니다. 누군가를 향해 끊임없이 가르치려고 하는 이들과 아무런 말을 함부로 뱉는 이들이 봄날 개구리 떼처럼 일제히 울어대는 시대 같아요. 자기가 하는 말이 사실, 진실 여부와는 상관없죠. 그런데 말이죠. 이런 목소리가 낮이든 밤이든 와글거린다는 거지요.

학교도 비슷한 것 같아요. 원격수업이든 등교수업이든 어쨌거나 학생들은 수업을 통해 교사들과 만납니다. 수업을 하려면 만나야 하죠. 우리 학교가 지난 일주일 동안 어떤 경로로 교사와 학생들이 만났는지 말씀드리려 합니다.

유튜브로 하는 실험활동

지난 주간 우리 학교는 3학년만 등교수업을 하고 1, 2학년은 원격수업을 했습니다.

26일(토) 오픈랩이라는 동아리 공개행사를 하기 위해 방과 후에 학생들이 모여 실험 수업을 준비합니다. 우리 지역 400여 팀의 초 · 중

학생을 대상으로 약 30여 개의 동아리가 자신의 콘텐츠를 풀어 놓습니다. 이 프로그램은 유튜브로 진행합니다. 댓글로 실험을 도와주게 되죠. 이를 진행하기 위해 1학기에 5개의 동아리가 사전 방송을 했습니다.

대면으로 하는 진로 컨설팅

역시 방과 후에 했습니다. 미리 신청을 받았고 학부모와 학생이 함께 참여했습니다. 대교협 소속 지역 교사들과 각 교실에서 가림막을

하고 교실 인터넷으로 연결하여 상담자료를 TV 화면에 띄웠습니다. 예약 시간에 맞춰 학부모들과 학생들이 방문하고 체온 측정과 소독에 각별히 신경을 썼습니다. 수고하신 상담 선생님들께 감사드립니다.

주문형강좌

1학기에 하기로 했지만, 워낙 상황이 급박하여 2학기에 다시 진행하기로 학생들에게 양해를 구한 상태였습니다. 그런데도 상황은 똑같았습니다. 할 수 없이 우리 수업과 똑같은 방법으로 강좌를 열었지요.

그 첫 시간은 17일(목) 저녁에 원격으로 열었습니다. 낮 동안 내리 컴퓨터 앞에 앉아 있었을 텐데 5시 30분부터 또 컴퓨터를 연결해야 하는 아이들이 안쓰럽지만, 수업은 원활하게 진행되었습니다.

담당 선생님께도 우리 학교 계정을 드리고 구글클래스룸에 수업을 열었습니다.

창체활동

인창아카데미는 강사분이 학교에 오시고 아이들은 구글미트(Google Meet)로 수업에 참여하지요. VR로 하는 과학체험도 있었는데 이미 안내된 여러 사이트로 개별적으로 들어가 체험을 하게 구성했습니다.

이 모든 일이 지난 한 주 동안 온라인 시대 우리 학교에서 했던 활동입니다.

유튜브를 통한 실시간 활동, 등교하여 직접 얼굴을 맞대는 활동, 학교 플랫폼인 구글클래스룸을 이용한 주문형강좌, 구글미트로 그룹활동, 여러 사이트를 이용한 개별 온라인 체험학습. 그사이 줌을 활용한 강의와 회의도 몇 건 있었고요.

모든 학교가 똑같아야 할 이유도 없고, 모든 수업을 같은 도구를 해야 할 이유는 더더욱 없죠. 그냥 그렇다고요.

우리 학교는 존중, 행복, 세계시민을 배웁니다

"저는 우리 친구들이 존중, 행복, 세계시민의 정신을 배우길 바랍니다."

수업이 끝났습니다. 모처럼 우리 아이들 앞에서 한 수업이라 다른 어느 때보다 긴장했습니다.

3천 명의 학부모가 모인 대규모 강연에서 소규모 강의에 이르기까지, 그리고 직접 대면하기도 하고 온라인으로 수업을 하기도 했습니다만, 우리 학교 아이들 앞에서 하는 이번 수업은 왜 이리 긴장했는지 스스로 헛웃음이 나기도 했습니다. 마스크 쓴 입이 바짝 마르고 단내가 났습니다. 우리 학교 특성화 교과인 '덴마크 문화의 이해' 수업이었습니다.

"왜 우리 학교는 '덴마크 문화의 이해'라는 과목을 배울까?"라는 질문으로 시작했습니다.

아나나 다를까 아이들은 "그거야 우리 학교가 덴마크 학교와 교류를 하니까요." 이렇게 대답합니다. 그렇죠. 그게 첫 번째 이유이기도 합니다.

국제교류를 하는 학교는 참 많습니다. 하지만 이를 정식 교과목으로 개설하고 수업을 하는 학교는 많지 않습니다. 더구나 '덴마크 문화의 이해'라는 과목은 유일무이할 겁니다.

"덴마크라는 나라는 가장 먼저 사람 중심으로 정책을 펼칩니다. 그리고 코펜하겐시는 국제기구의 도시라고 할 정도로 많은 국제기구가 있어요. 우리 친구들이 나중에 정책을 만들거나 결정할 때 이 두 가지를 잊지 않으면 좋겠어요."

'사람 중심'이라는 가치는 어느 날 갑자기 생기지 않습니다. 큰 불편을 겪을 수도 있고, 성과가 더디 나올 수도 있고요. 그래도 왜 덴마크가 도시를 건설하면서 '사람 중심' 정책을 펼칠까? 도시를 불편하게 만드는 이유가 무엇일까? 그들은 어떤 가치를 지향하기 때문일까? 그들이 생각하는 행복이란 도대체 무엇일까? 수업 시간 내내 아이들에게 질문을 했습니다.

그렇다면 그들이 우리보다 탁월하기 때문일까요? 우리는 우리 스스로를 낮춰보는 습관이 있습니다. 덴마크가 우리보다 지나치게 월등하지도, 그렇다고 우리가 그들보다 열등하지도 않습니다. 그들도 우리에게 배우고 싶어 하는 것이 많습니다. 비슷한 나라이기에 더욱 그들의 장점을 배우면 좋겠다는 거지요.

"누가 나를 무시하면 기분이 어때요? 몹시 나쁘죠?"

나는 존중받아야 하는 사람, 우리 아이들도 모두 존중받아야 하는 사람입니다. 마찬가지로 내 옆에 있는 친구들도 모두 존중해야 하는 사람이라고, 그러니 차별과 혐오는 해서는 안 된다는 거였죠.

덴마크 하면 생각나는 단어가 '행복'이니 이건 많이 들었을 거라 넘어가고^^

마지막으로 '세계시민'으로 살아가는 방법을 이 시간에 배우면 좋겠다고 말했습니다. 요즘처럼 인터넷을 일상적으로 접하는 시기에 우리 아이들이 세계로 뻗어 가면 좋겠다는 말을 했습니다.

무엇을 배워야 할까? 또 어떻게 해야 할까? 우리 아이들에게도 질문만 무수히 던지고 말았네요. 수업에 참여한 우리 친구들 중에 몇 녀석이라도 마음의 얼음이 깨지면 좋겠습니다. 아니, 제가 던진 돌멩이 하나가 마음에 잔잔한 파문이 되면 좋겠습니다.

그러니 어때요? 긴장하며, 입에서 단내가 날 정도로 수업 준비 잘한 거죠?

행복한 온라인 국제교류

　모처럼 방과 후 학교 건물에 불이 환합니다. 오늘이 바로 덴마크 류 슨스틴 고등학교와 우리 인창고가 온라인 수업을 함께 하는 날입니다. 시차가 있어 덴마크는 오전이지만, 우리는 저녁 시간입니다.

　오후 4시에 줌(zoom)이 열리고 아너스 슐츠 선생님께서 문화 이론에 대한 기조 발제를 하십니다. 곧 아이들은 모둠으로 나누어 들어갑니다. 전 세계적인 어려움인 코로나에 대한 대처 방법을 살펴보고 두 나라의 공통점과 차이점을 통해 문화를 이해하는 방식이죠.

　모든 교과 교실과 일부 학급 교실을 개방하고 도서관까지 열었습니다. 덴마크 아이들이 예상보다 더 들어왔습니다. 애초 비슷한 시간에 수업이 가능한 한국반, 터키반, 우간다반 아이들이 들어오기로 했으나 싱가포르반 아이들이 더 들어와 우리 학교 아이들이 소수가 되었습니다. 그래도 기죽지 않아요.^^

　시스템이 안정되자 곧 아이들은 자기끼리 토론에 들어갑니다. 각자 태블릿PC를 이용하고 더구나 이어폰을 꽂은 상태라 참관하는 저는 우리 아이들의 손짓과 덴마크 아이들의 웃는 모습만 보입니다. 아이

들의 표정이 해맑습니다.

덴마크 류슨스틴 고등학교는 코펜하겐 중앙역 근처에 있습니다. 우리나라에도 종종 소개되는 학교입니다. 아, 오연호 선생님이 쓰신 『삶을 위한 수업』에도 아너스 슐츠 선생님이 나옵니다.

코로나가 아니면 지금쯤 덴마크 아이들이 우리 학교를 방문하여 같이 수업을 하고, 우리 아이들은 내년 1월쯤 덴마크로 갈 텐데. 아쉬운 마음을 조금이라도 달래기 위해 온라인 수업을 진행했습니다. 2021학년도에는 이번 경험을 바탕으로 '덴마크 문화의 이해' 수업을 활용하면 좋겠다는 생각을 했습니다.

물론, 이런 수업을 하려면 선생님들이 적극적인 협조가 필요합니다. 온라인 국제교류가 끝나고 도와주신 선생님들이 함께 모였습니다. 늦은 저녁 식사였지만 모두 즐겁고 행복한 얼굴이었습니다.

수고하신 모든 분이 서로를 위해 진심으로 박수를 보냈습니다. 줌을 안정적으로 이용할 수 있도록 보살펴 주신 선생님, 아이들과 함께 교실에서 도와주신 선생님을 비롯하여 크고 작은 일에 세심한 손길이 필요합니다. 이걸 모두 자발적으로 나서 주셨네요. 기꺼이 퇴근 시간을 늦춘 선생님들께 감사드릴 뿐입니다. 우리 학교가 참 행복한 학교인 까닭은 바로 여기에 있습니다.

동아리 축제

　지난주 우리 학교는 동아리 축제를 했습니다. 올해는 방역에 우선하고, 아이들이 모이는 것도 최대한 자제해야 했습니다. 그래도 아이들은 일 년 동안 동아리에서 배운 내용을 친구들에게 마음껏 자랑하였습니다. 아이들의 활동은 실험실습, 학술발표, 취미활동으로 크게 나눌 수 있더군요.

　먼저 구리시에 방역에 대한 자문과 협조를 구했습니다. 그리고 행사 내내 자체 방역계획도 수립하였고요. 당연히 아이들 행사도 소규모로 진행이 됩니다. 우선 2~4층까지 모든 교실을 동아리실로 배정하고 참관할 학생들은 20명 이내로 사전 신청을 받았지요. 아이들은 등교할 때 현관에서 화상열감지기로 발열 체크를 하지만, 동아리실에 입장할 때 한 번 더 비접촉 체온계로 측정합니다. 동아리실 입구에 손소독제, 소독 티슈를 비치하고 1부, 2부, 3부가 끝날 때마다 창문과 출입문을 열어 환기를 합니다.

　아이들이 발표하는 내용은 교과 내용과 관련된 것입니다. 이렇게

준비하고 발표하는 것, 아울러 코로나라는 위기의 시대에 함께 대비하며 서로 존중하고 배려하는 마음을 배우는 것. 큰 교육이겠다는 생각이 들었습니다.

올해는 기부하는 동아리가 부쩍 늘어났습니다. 행정복지센터와 연계하여 기부처를 정했습니다. 그래서 그런가, 아이들은 너무나도 열심히 공예품을 만들고 있었습니다. 뿐만 아닙니다. 만들어 나누는 행사가 많았습니다.
"선생님, 선생님~~"
자기가 만든 작품을 저에게 준다고 다급하게 부릅니다. 아이들의 마음이 예쁘네요.

과학동아리는 화학 반응, 세포 관찰 등을 하고, 역사동아리는 인근에 있는 동구릉(東九陵)을 주제로 학술제를 했습니다. 자기들이 대본을 쓰고 연출을 하여 연극 공연을 하고 댄스도 멋지게 합니다.

2층에서 4층까지 부지런히 돈다고 돌았는데도 다 보지 못했습니다. 아쉬운 것은 연극공연과 댄스공연을 할 수 있는 무대를 만들어 주지 못한 것입니다. 내년에는 이동식 무대라도 만들어 우리 아이들이 제대로 공연하고 관람할 수 있도록 해야겠습니다.

아 참, '슬기로운 농부생활' 동아리의 귀여운 이벤트를 보시며 웃어보세요.
'이번에 토란이랑 무를 재배했어요. 교장쌤 빼고 가져가지 마세요.'

자기들이 애써 키운 열매를 제 방 문고리에 걸어두고 써 놓은 글입니다.

어려운 시기이지만, 그래도 열심히 하는 아이들 모습에 박수를 보내 주세요.

만남과 헤어짐

오는 이

아쉬움 속에 일상은 흘러갑니다. 2021학년도 신입생들이 확정되자 2020학년도 고3 아이들은 학교를 떠나갑니다. 유튜브로 진행한 신입생 학부모설명회는 성황이었습니다. 우리 학교 신입생이 192명인데 최종 조회수가 500회를 넘었습니다. 지금은 본 영상을 내려 다시보기를 할 수 없습니다.

새내기 워크숍 자료집과 함께 아이들에게 한 권씩 읽으라고 권한 책입니다. 우리 학교는 이번 겨울방학에 집중적으로 독서를 권하고

있습니다. 이 아이들이 들어오는 3월에는 학교에서 만날 수 있기를
소망합니다.

가는 이

가장 아쉬운 장면입니다. 그래도 졸업
식이면 가족이 모여 함께 축하하고 선생
님들과 친구들이 서로 얼굴을 보면 좋겠
지만, 결국은 이렇게 진행할 수밖에 없었
습니다. 선생님과 마지막으로 나누는 대
화는 짧았지만, 더욱 애틋합니다.

올해는 아예 진학을 외국으로 한 아이들이 있습니다. 덴마크 공동
학습이 결정적이었다는 친구들을 만났습니다. 미국 대학에 진학을 확
정했지만, 다시 코펜하겐 대학으로 가겠다는 친구, 파리대학에 가서
공부하겠다는 친구… 우리 학교 교육과정이 이렇게 빠르게 아이들의
삶으로 나타나다니 놀랍네요.

새 학기 준비

놀라운 모습은 또 있습니다. 2021학년도 우리 학교 운영을 위한 협의는 급격하게 확장되고 있습니다.

류슨스틴 고등학교를 허브(Hurb)로 한 전 세계 15개 고교와 수업 프로그램을 진행하기로 했습니다. 처음 덴마크와 교류를 시작할 때 꿈꾸었던 모습인데, 이렇게 급격하게 현실로 다가오다니 저도 놀랍습니다. 그때만 해도 아이들이 오가는 모습만 상상했는데….

올해 '길 위의 학교'는 랜선으로 추진해 보려고도 합니다. 이번 겨울은 더욱 복합수업이 가능하도록 준비하고 있습니다. 교사대토론회도 줌으로 했습니다. 현실을 바탕으로 한 이론 정립은 웬만한 교육포럼보다도 더 좋습니다. 바로 그날 저녁 3주체 회의를 마쳤고요. 2월 마중물 모임을 설렘 속에 준비하고 있습니다.

여전히 아쉬운 것은

야구부 아이들의 우렁찬 함성을 듣고 싶지만, 소수 인원으로 훈련이 진행되니 아쉽고 아쉽네요.

학생회 아이들이 마지막으로 친구들하고 학급 사진을 찍으면 좋겠다며 현관에 만들어 놓은 송년 소망나무입니다. 그래도 졸업하는 학생들이 와서는 사진을 찍더군요.

2021년에는 교정 어디서나 마스크 벗고 밝게 웃는 아이들을 보고 싶네요.

2020년 어려움 속에서도 참 열심히 살았습니다. 인창고 학생, 학부모, 교직원 모두 고맙습니다.

알렉시스 조르바

누군가 당신에게 평생 동안 가장 많이 반복해서 읽은 책과 가장 많이 반복해서 본 영화를 꼽으라면 뭐라고 대답하시겠어요?

저는 책은 '그리스인 조르바'(니코스 카잔차키스)이고, 영화도 역시 안소니 퀸 주연의 '그리스인 조르바'입니다. 흑백영화이지만 안소니 퀸의 열연이 너무나도 자연스럽게 천연색으로 남아 있고, 책은 요즘 갑자기 다시 읽기 시작했죠. 힘들고 지칠 때면 반복해서 보던 책인데, 젊은 시절에 산 책은 활자 상태가 노안으로 읽어 내기는 어려워 다시 주문했죠.

오늘 저의 심장을 꿰뚫은 문장,

"걸레를 찾아 내가 배운 것, 내가 보고 들은 것을 깡그리 지우고 조르바라는 학교에 들어가 저 위대한, 저 진정한 알파벳을 배울 수 있다면…! 내가 선택하는 길은 사뭇 달라질 것이다. 내 모든 감각을 완벽히 단련함으로써, 또한 온몸도 그렇게 함으로써 몸이 즐기고 몸이 이해하게 하리라."

'조르바라는 학교'가 특히 꽂힙니다. 한 사람이, 그 존재 자체가 학교라면 그리고 지금의 내가 일찌감치 그를 배울 수 있었다면…. 가만히 보면 할머니도 학교였고, 방송통신고에서 만난 어르신도 이미 학교였고, 지금 제 주위에 있는 많은 분들이 다 학교인데.

조르바를 특별히 좋아하는 이유가 뭘까요?
글쎄요. 저에게는 없는 열정, 자유를 대표하는 인물. 머리로만 익힌 지식으로 아는 체하는 게 아니라 삶 그 자체였던 그 인생을 부러워하기 때문입니다.
성격으로 따지면 오히려 저는 조르바가 그리도 비판하는 젊고 나약한 책벌레…. 우리 식으로 하면 샌님에 가까운지라…. 조르바의 그 불같은 성격이 마냥 좋았습니다. 젊은 시절부터 좋아했던 인물인데 지금도 여전한 걸 보면 참…. 어지간히 주변머리 없는 사람이거든요. 뜨거운 열정을 품고 사는 분들을 만나면 마냥 부럽습니다.

저는 조르바가 지닌 자유로움, 줏대 높음이 부러운 거지요. 평생 동안 닮고자 했으나 아직도 부러워하는 걸 보면 여전히 닮지 못하고 있나 보네요. 그래서 예 어른들이 '천성은 바꿀 수 없다'고 하셨나 봐요. 내가 조르바가 될 수 없다면 다시 조르바 같은 사람을 만나길, 그런 사람이 세상을 바꾸어 나가길, 더 열심히 믿고 지지해야겠지요.
"감정이 목구멍까지 올라올 때면 이놈이 소리칩니다. 〈춤춰!〉 그러면 나는 춤을 춥니다. 그러면 숨통이 좀 뚫리지요."
춤추고 싶을 때 춤출 수 있는 사람, 우리 아이들도 이럴 수 있으면 좋겠습니다.

생각 다듬기

씨앗이 조금씩 자라고 있습니다. 열매 맺을 때까지 차근차근 준비하고 기다려야겠습니다. 아, 이 씨앗이 무엇이냐고요? 2021학년도 우리 학교 운영계획입니다.^^

교육부 보도자료

2021학년도도 상황은 크게 변하지 않을 것 같습니다. 교육부가 발표한 보도자료(2021.1.28.)를 보니 개학은 연기 없이 3월에 정상 시작하고 고3의 경우 작년과 동일한 등교 원칙을 유지한다고 되어 있네요. 그리고 실시간으로 쌍방향 소통이 이루어지는 수업을 확대하고 원격수업을 안정적으로 운영할 수 있는 환경을 조성한다고 합니다. 특별히 전 교과군에 모든 학생을 대상으로 학교생활기록부를 기재하겠다는 내용이 들어 있습니다.

우리 학교

전체 학생 수가 줄어들면서(전년 대비 24명 축소) 교원 수가 감소합니다. 이건 교사 정원에 따라 조정되는 것이라 어떻게 할 방도가 없습니다. 2021학년도에는 학생들의 과목 선택을 대폭 확대한 개방형 교육과정을 운영하는 첫해입니다. 이런 교육과정은 다른 학교와는 다른 우리 학교만의 특징이 됩니다.

저 혼자만의 생각인지 몰라도 지역에서 우리 학교를 바라보는 눈이 많이 바뀌었습니다. 학부모회장님은 교육청 행사에 가서 발표할 정도로 바빠지셨고, 교육부에서도 어떻게 알았는지 우리 학교 활동에 관심을 보입니다.

2021학년도 기본 방향

전 교실에 무선망을 설치합니다. 저는 이번 기회에 '인창고 LMS 기반 학습체제 구축'을 하려 합니다. 원격수업과 등교수업 경험이 있는 우리 선생님들과 친구들. 그렇다면 이제는 학교 학습 플랫폼을 중심으로 대면과 비대면을 넘나드는 교육활동을 해야죠. 끝을 알 수 없는 확장성이 우리 학교 교육활동을 더 풍부하게 할 것입니다. 동시에 지역사회에서 신뢰받는 인창고, 교육과정-수업-평가-기록이 기본이 되는 교육활동을 확산하겠습니다.

학교 모습

우리 학교는 '자율, 소통, 토론, 조화'를 기본 운영원리로 삼아 학생들이 '자존감, 호기심, 책임감, 자주성, 삶과 연계'라는 역량을 키울 수 있도록 모든 교육활동을 집중합니다.

학생들이 학교가 행복하다고 말할 수 있으면 좋겠습니다. 지금 행복한 아이들이 앞으로도 행복하게 살 수 있죠. 물론, 민주적인 학교는 끝까지 욕심낼 가치입니다.

학교운영계획서 세우기 일정

이미 대토론회(zoom)는 마쳤고, 3주체 회의도 했습니다. 부서별로 세부적인 계획을 수립하고 있습니다만, 무엇보다도 학생부기재요령의 개정으로 우리 학교 활동을 재구조화하는 작업을 하고 있습니다.

2일 오전에 일단 학년부장들이 모입니다. 여기서 나온 이야기를 바탕으로 모든 지원부서가 교육활동을 살펴보는 거지요. 그리고 마지막으로 마중물 연수에서 모든 교사가 공유합니다.

이를 지원할 수 있도록 학교 환경 재구성 작업은 시작했습니다. 물론, 목돈이 들어가는 큰 건수는 일 년 안에 해야 하니 미루어 두고요. 우리 선생님들과 학생들이 불편하지 않도록 소소한 일을 시작한 거죠. 확실히 2월은 준비하는 달이네요. 잘 준비해서 3월 새 학기를 예쁘게 맞이해야겠습니다.

새 학기 준비

지난 금요일, 오시는 분들, 가시는 분들 인사를 나누었습니다. 담당 교과와 학급도 모두 결정하였습니다. 22~24일은 마중물 연수를 진행합니다. 이 기간 우리들의 이야기는 따로 기회를 마련해야 할 것 같네요.

아차, 그사이 우리 학교 학부모회장님께서 19일 2시 경기도교육청 정책공감콘서트에서 우리 학교 이야기를 발표하셨습니다. 우리 학교 이야기는 35분 정도에 나옵니다.

오늘은 사람들 얘기는 쏙 빼고 겨울방학 동안 차곡차곡 준비했던 교실 환경 정리를 중심으로 말씀드리겠습니다. 마중물 연수 이야기는 따로 정리해서 말씀 드릴게요.

자, 이제 본격적으로 오늘 주제를 말씀드릴까요?

먼저, 다음에 나오는 사진은 교실 청소를 깨끗하게 하는 장면입니다. 바닥을 깨끗하게 닦아내고 윤을 냅니다. 창틀 먼지도 깨끗하게 제거하고요. 비록 낡은 건물이지만, 이렇게라도 깨끗하게 하고 아이들

을 맞이하고 싶은 마음인 거죠. 교무실을 비롯한 특별실도 깨끗하게 청소하고 있습니다.

소강당에 있는 조정실을 강당 뒤쪽으로 옮겼습니다. 이상하게 전면 무대 옆에 조정실이 있어 준비하는 이들이 그 안에 들어가면 행사가 끝날 때까지 숨죽이고 있어야 하더군요. 뒤쪽으로 옮겨 무대와 호흡을 맞추어 준비할 수 있도록 했습니다.

　위 사진의 공간은 주로 3학년 아이들이 공부하는 면학실입니다. 청소하는 김에 여기도 깨끗하게 정리했습니다. 올해는 아이들이 코로나 걱정 없이 편하게 이용하면 좋겠습니다.

　(가칭) 인창스튜디오입니다. 빈 교실을 원격수업을 제작할 수 있는 스튜디오로 만들었습니다. 5층 구석에 자리한 교실이었는데 여기에 방이 3개가 나올 수 있더군요. 선생님들이 원격수업 콘텐츠를 제작할 때 이곳을 이용하시게 됩니다.

위 사진은 생명과학 실험실인데요. 옆에 있는 화학 실험실과 함께 실험 탁자와 의자를 교체했습니다. 교과 교실 책걸상도 바꾸었습니다.

이제 2월 마지막 주는 마중물 연수와 함께 학생들을 맞이할 준비를 마치려고 합니다. 이렇게 우리 학교는 2021학년도를 시작하려고 먼저 깨끗한 환경을 만들고 있습니다. 미래 교실을 추진하는 다른 학교에 비하면 소소하고 대단하지 않습니다. 그래도 교육활동을 하기에 불편함이 없도록 최선을 다하고 있습니다. 우리 학교는 올해도 학교 플랫폼은 구글클래스룸으로 합니다. 계정 배정도 모두 마쳐 원격수업 준비도 끝냈습니다.

이젠 이 모든 공간을 살아있는 숨결로 다 채울 것입니다. 긴장과 기대, 설렘이 제 몸에서도 스멀스멀 기어 나옵니다.

아이들이 오니 봄이 오다

역시 아이들이 오니 학교는 비로소 깨어 움직입니다.

개학 후 2주가 지났습니다. 선생님마다 시간이 어떻게 지나는지 모르겠답니다. 3학년을 제외한 1, 2학년 담당 선생님들은 수업을 두 버전으로 준비해야 합니다. 교사들이 오직 한 학년만 교과를 맡는 경우가 드물죠. 격주로 등교하는 아이들에게 맞춰 수업이나 학급활동을 디자인합니다.

방역은 여전히 계속됩니다. 하지만 아이들은 조금 느슨해진 것 같습니다. 매일 5, 6명 정도는 등교하지 못합니다. 체온 재고, 손 소독하고, 마스크 쓰고⋯ 이제는 익숙하지만, 초창기의 심각한 위기의식은 조금 옅어진 것 같습니다.

그래도 아이들이 오니 교정에 봄이 옵니다. 그사이 우리 학교는 무엇을 했을까요? 3월 첫 주에는 전 세계 15개 고교 선생님들이 만났습니다. 원격수업은 이렇게 우리 경험을 확장합니다.

United Global Education Network(UGEN)라고 해서 전 세계 참여 고등학교 교표와 화상회의를 했습니다. 전에 농담 삼아 전 세계 교사 네

트워크를 만들면 좋겠다고 말한 적이 있습니다. 이렇게 시작이 되는 것 같아 설렙니다.

어느 나라나 교사들의 고민은 한결같습니다. 아이들, 수업, 평가입니다. 캐나다 어느 선생님은 같은 학급이지만, 아이들이 원격과 등교 수업을 매일 선택하다 보니 거기에 따른 고충이 크다고 했습니다. 그러니까 그날그날 등교 인원이 달라지기 때문에 수업 방식을 디자인하는 것이 어렵다는 거지요. 물론, 수업은 대면과 비대면을 동시에 해야 하고요.

올해도 개학 전, 마중물 연수를 했지요. 올해 우리 학교는 수업과 평가에 집중하자며 귀한 두 분을 모셨습니다. 서울대 권오현 교수님께서 '미래교육과 학점제'에 대한 말씀을, 충남대 김선 교수님께서 '과정중심 피드백'에 대한 말씀을 주셨지요. 우리 선생님들께서 많은 영감을 받았다며 너무나도 좋아하셨습니다. 며칠 동안 두 분의 강의

내용을 되새기는 모습을 보았습니다. 선생님들의 피드백이 담긴 패들릿에는 감동과 영감이라는 단어가 주를 이루네요.

그사이 교원안심번호도 개통하고, 학생들이 3년 동안의 포트폴리오를 작성할 수 있도록 노란색 포트폴리오 스크랩북도 만들었습니다.

역시 새 학기는 학생들의 동아리 모집이 단연코 꽃이죠. 올해 동아리 면접은 어떤 방식이 나올까 기대합니다. 작년에는 랜선 면접이 대세였거든요.

교실에는 아이들을 환영하는 글이 걸리고, 운동장에는 아이들의 웃음소리가 높습니다. 홍매화, 목련, 동백도 피었네요. 이렇게 3월 첫

주와 둘째 주가 지나갔습니다.

가만히 보면 학교는 선생님들과 아이들, 꽃과 새, 시간과 공간이 서로 긴밀하게 움직이며 무언가를 끊임없이 만들어 냅니다. 덩달아 활기를 느끼며 살아갑니다.

다양한 시선이 있어 학교가 참 좋다

금요일 학급특색 시간은 참 다양하게 펼쳐집니다. 노랫소리가 들리기도 하고 봄이 온 교정, 꽃들 앞에서 온갖 모습으로 학급 사진을 찍기도 합니다. 학교 앞 왕숙천을 옹기종기 걷는 반도 있고요. 아이들 웃음소리가 어우러집니다. 이 봄에 우리 학교는 또 무슨 일을 하고 있을까요?

학교교육과정 기본 틀 완성

학교교육과정은 그 학교의 설계도입니다. 우리는 설계도를 제대로 보지 않아 돌고 돌다가 제대로 살펴보고는 겨우 완성할 때가 많죠. 그 학교에서 어떤 배움이 일어나고 그 배움 속에서 아이들은 어떻게 성장하는가를 모든 교육공동체가 함께 고민한 결과가 학교교육과정입니다.

우리 학교 학교교육과정은 3년 동안의 긴 협의를 거쳐 그 색깔을 분명하게 하였습니다. 2021년에 고시된 경기도교육과정을 1쪽에 간단하게 담고 우리 학교 교육과정과 특색활동은 30여 쪽으로 실었습니다. 우리 학교의 교육 철학과 가치는 1부에 담긴 거죠.

또 하나 특징은 각 부서 업무 지원은 부서별 1쪽으로 담아내고 학교생활기록부와 연계를 밝혔습니다. 4월 말에 있을 전체 교직원회의에서 그 의미를 함께 나누려고 합니다.

진로진학 부모교실

학부모 상담주간에 앞서 학년별로 진로진학 부모교실을 열고 있습니다. 학년별로 고민이 다릅니다. 우리 선생님들도 부모가 된 심정으로 정성껏 준비했습니다.

1일, 2일, 5일 부모교실이 끝나면 대면, 비대면 형태로 상담주간이 열립니다. 이미 신청을 받아 방법과 시간을 약속했다고 하네요. 함께 우리 아이들을 위해 고민을 나누면 좋겠습니다.

오연호 선생님 초청 인문아카데미

해마다 우리 아이들은 『우리도 행복할 수 있을까』를 읽고 오연호 선생님을 초청하여 이야기를 나눕니다. 올해는 대면 강의와 함께 실시간 방송 형태로 진행되었습니다. 여전히 원격수업과 등교수업이 반복되기 때문입니다.

국제교류 동아리 학생이 차분하게 진행하면서 댓글로 올라온 질문을 읽으면 선생님께서 답변하셨습니다. 저는 다른 장소에 있어 방송으로 참여했습니다.

덴마크 류슨스틴 고등학교와 공동수업인 '덴마크 문화의 이해'라는 과정의 일환입니다. 저는 우리 아이들이 덴마크를 마냥 부러워하는 게 아니라 우리 속에서 덴마크를 찾아내고 이를 현실로 만들기를 바랍니다.

인창드림비전

3월 한 달이 지나면 졸업생들이 학교를 방문합니다. 바로 인창드림 비전을 하기 위해서입니다. 올해도 세 명의 졸업생이 찾아왔어요. 유튜브로 진행한 이 시간에도 학생들 질문이 상당히 많았습니다.

"후배들에게 좋은 얘기 잘 부탁해요."

교장실에 온 졸업생들은 발랄했습니다.

한 학생의 댓글이 가슴을 아프게 합니다.

'저는 보나 마나 9등급일 것 같은데 걱정이에요.'

고등학교에 들어온 지 이제 겨우 한 달. 우리 아이들은 너무나도 일찍 성적에 대한 압박감에 눌립니다. 졸업생들은 자신의 경험을 바탕으로 여러 이야기를 들려주지만, 걱정에 눌린 아이가 받아들일 마음의 여유가 있을까요.

학교를 둘러싼 담론은 참 많습니다. 변해야 한다고, 바꾸어야 한다고 진단과 치료법이 넘칩니다. 하지만 학교 안에는 다른 어느 사회보다도 다양한 시선이 있습니다. 50대의 시선, 40대의 시선, 30대의 시선, 20대의 시선 그리고 10대의 시선이 다 존재합니다. 하나의 사물이나 사안을 바라보는 시선이 연령대에 따라 다양합니다. 그러니 얼마나 좋은가요. 내가 미처 보지 못한 부분을 다른 연령대의 시선이 알려주잖아요.

제 방 앞에 있는 칠판에 아이들 목소리가 와글와글합니다.

확장의 힘으로

아이들의 확장성은 굳이 가르치지 않아도 놀랍죠. 스스로 자란다는 말은 바로 확장성으로 나타납니다. 하지만 우리 선생님들이 계시지 않으면 쉽지 않겠죠. 선생님의 말씀 한마디가 아이들 열정에 불을 댕깁니다. 이내 그 불은 곧 새로운 시도로 바뀝니다.

10대들의 힘은 바로 이 '확장성'에 있습니다. 그냥 해보는 거죠. 해보다가 다른 것과 결합하고 또 새로운 걸 만들어 내고요. 오늘 이야기는 우리 아이들의 '확장성'에 관한 것입니다.

학교교육과정 운영계획

2021학년도 학교교육과정 운영계획을 완성했습니다. 어느 학교든 다 이맘때면 만들지만, 우리에게는 더 특별합니다. 3년 동안 함께 논의한 학교교육과정의 틀을 완성하고 이를 한 권의 운영계획으로 담아냈습니다.

저는 '10분만 시간 내 주시겠어요?'라는 제목으로 영상을 찍어 우리 학교 구글클래스룸에 올려 선생님들과 공유했습니다. '공부 열심히 했습니다'라는 장난기 어린 댓글이 달렸네요.

인생 치킨

제 방 앞에 있는 낙서판에 낙서가 가득합니다. 특히 선생님들을 향한 사랑 고백(?)이 많습니다. 부럽네요. 아이들과 선생님들이 상호작용이 활발한 우리 학교, 사랑하지 않을 수 없습니다.

야구부 아이들에게 간식으로 치킨을 사주었습니다. 그랬더니 '인생 치킨'이라며 우승으로 보답하겠다는데 기대해볼까요?^^

부장 선생님들께 『그들의 진로는 달랐다』책을 사드리고 함께 읽어보자고 했습니다. 13명의 강연자가 삶을 바라보는 자세가 참 좋았거든요. '지금, 좋아하는 것, 즐겁게'라는 키워드가 핵심이었어요.

토요일에는 교내 무선망 공사가 한창입니다. 벌써 2주째입니다. 5월에는 모든 교실에서 와이파이가 가능합니다.

동아리와 프로젝트 활동 1

우리 동아리 아이들이 세계 여러 나라 고등학생과 온라인으로 토론활동을 합니다. 5월에 시작하는 동아리가 있네요. 다양한 주제에 적극적으로 참여하는 모습입니다. 어떻게 진행될까요? 시도하는 그 마음이 보기 좋습니다.

과학인포그래픽 활동 결과물이 전시되었습니다. 지구 온난화를 비롯한 여러 주제 결과물입니다. 또한, 운동장 여기저기에 팀프로젝트 활동을 하기 위해 소중한 실험이 펼쳐집니다.

동아리와 프로젝트 활동 2

생각에 걸림돌이 없어야 확장성이 커집니다. 아이들에게 걸림돌이 없습니다. 반크 동아리가 미얀마 시민에게 응원의 글을 썼습니다. 다른 아이들은 세월호 리본을 장식했습니다. 미얀마와 세월호 우리 아이들의 죽음…. 묘한 절박감이 연결됩니다.

선생님들이 기억교실을 만들었고 아이들은 거기에서 추모의 글을 씁니다. 그렇게 또 2014년과 2021년이 연결됩니다.

도서관에서는 자유롭게 자기가 선정한 프로젝트를 진행합니다. 야구부 아이들 주말리그도 시작했고요.

동아리와 프로젝트 활동 3

아이들은 텃밭도 일구고 있습니다. 이것도 프로젝트 중 하나입니다. 터가 좁지만, 아이들은 부지런히 농사를 짓습니다.

아, 또 있네요. 4월 16일을 전후하여 관련 수업을 하다 보니 교정 여기저기에 아이들이 만든 노란 리본이 걸립니다. 교실 창문을 이용하여 잊지 않겠다고 다짐했네요. 정성들여 쓴 노란 리본을 현관에 이리저리 걸었습니다. 이런 활동에는 꼭 말없이 준비하는 손길이 있죠.

5월에 저는 우리 아이들 어떤 모습을 볼 수 있을까요? 벌써 가슴이 설렙니다.

소소한 즐거움

　짬짬이 인창고의 변화를 기록으로 남기고 있습니다. 규칙적이지는 않지만 그래도 가급적 한 달에 1~2회 기록하고 있습니다. 사진을 보면 제가 얼마나 빨리 과거를 잊어버리는지를 알겠더라고요. 불과 며칠 전에 했던 활동인데도 까맣게 잊어버리니 말이에요. 기록이 없다면 아마도 모두 다 세월의 블랙홀 속으로 날렸을 거예요. 오늘은 '소소한 즐거움'을 담아보려고 합니다.

거대하지는 않지만 학교 환경 소소하게 개선
　중앙 현관에 진로북카페(가칭)를 만들고 있습니다. 우리 친구들이 관심 있는 대학 학과와 관련 있는 책을 자유롭게 꺼내 볼 수 있도록 많이 드나드는 곳에 설치하고 있습니다. 〈내일교육〉에서 소개한 '진로진학書'에서 힌트를 얻었죠. 여기에  다음 주에 편안한 의자와 책상을 놓을 겁니다. 분실과 훼손을 걱정하시는 분도 계셨지만, 그러면 뭐 어떠냐고 말씀드렸습니다. 궁금한 대학 학과 관련 책을 읽고 자신의 진로를 생각한다면 더 큰 이득인걸요. 완성되면 다시 소식 알려드리겠습니다.

옆의 사진은 인근 중학교와 우리 학교 사이에 있는 경계인데요. 여기에 무시무시한 철조망이 위에 둘러 있는 거예요. 학교 안에 철조망이라니…. 깨끗하게 제거하니 한결 좋습니다.

귀한 손님이 찾아왔어요

귀한 손님이 방문하여 학교의 화제가 되었습니다. 어디서 왔을까요? 부엉이 한 마리가 위엄 넘치는 자태로 학교 외벽에 자리 잡고 있는 거예요. 부와 지혜의 상징인 부엉이라 학교 안에 메시지로 알렸지요. 그랬더니 어떤 선생님께서 동영상을 찍으셨다며 보내주셨어요. 동영상으로 부엉이의 모습을 훨씬 잘 볼 수 있었습니다.

나음 날에는 아침맞이 인사를 하는데 새 한 마리가 아예 같이 인사를 합니다. 아이들이 놀랄까 봐 문을 다 열어놓고 손짓, 발짓을 한참을 한 후에야 녀석은 유유히 운동장으로 나가더군요. 제가 아침 인사가 끝나면 늘 운동장으로 나가듯이 말이죠.

다양한 교육활동

덴마크인 라스무스님이 우리 학교를 방문하셨습니다. 덴마크 수업 시간에 오셔서 학생들의 질문에 일일이 답해 주셨습니다.

과학창체 시간에 했던 도시 프로젝트가 학급 복도에 걸렸습니다. 친환경 도시를 만들기 위한 프로젝트 활동입니다. 마침 구리시에서 개최한 기후위기대응 포럼에 저와 우리 학교 학생이 패널로 참여하였

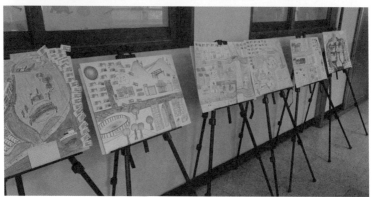

습니다. 미래 시대의 당사자인 청소년들의 이야기를 들으라며 대차게
발표하는 안수현 학생의 모습이 자랑스러운 시간이었습니다.

야구부 아이들은 주말마다 경기를 합니다. 지금까지 모든 경기가
다 소중하지만, 저는 이 장면이 너무나 좋습니다. 9회에 무려 6점을
얻어 역전하였기 때문이죠. 그리고 9회말, 실점 없이 잘 막아내는 장
면입니다. 경기는 이기고 질 수 있습니다. 하지만 끝까지 포기하지 않
는 모습이 더 사랑스럽습니다.

귀엽지요

급식실에서 특별 이벤트를 했습니다. 선생님들이 너무나 예쁘다고
하십니다. 자신의 이름이 적힌 케이크를 찾으라는 겁니다. 덕분에 점
심시간이 무척 즐거웠습니다. 작은 아이디어이지만, 가슴에 남는 감
동은 매우 크네요.

출근길 교장실에는 노란 바나나가 저리 놓여 있습니다. 누구일까?

아무런 메모도 남아 있지 않지만, 행복한 미소가 피어오른 츨근길이었습니다.

소소한 일상은 우리에게 깊은 감동을 주기도 합니다. 인창고는 이런 소소한 즐거움이 넘칩니다. 이 글을 보시는 여러분께서도 오늘 하루 소소한 즐거움을 맛보시길 빕니다.

조심스레 시작하는 일상

서서히 우리 학교는 평범한 일상으로 조심스럽게 발을 디뎌봅니다. 워크숍이나 탐사도 시도하고 1, 2학년 진로탐색 활동, 3학년 앨범 사진 촬영 등은 물론이고, 동아리 활동도 서서히 열어 봅니다. 여전히 마스크를 쓰지만, 아이들 표정이 확실히 더 밝아집니다. 오늘은 '조심스럽게 시작하는 일상'을 말씀드리겠습니다.

교사들의 수업과 평가 이야기

UGEN(United Global Education Network)에 우리 학교 선생님들이 참여하시어 '수업과 평가 이야기'를 나누었습니다. 우리 학교와 교류하는 덴마크 류슨스틴 고교를 중심으로 14개국 선생님들이 모여 협의도 하고 공부도 하는데요, 전 세계 선생님들의 고민노 '평가'였니 봅니다. 이날은 '글로벌 역량 평가 시스템을 개발'하고자 교과 시험이 국가 시스템에서 수행되는 방법을 나누었습니다. 개인의 도달도를 평가하는 북유럽의 평가와 규준지향평가가 중심이 되는 일본의 평가 제도를 비교한 발표, 그리고 공감 정도를 평가하기 위해 고심하는 미국 사례를 들었습니다.

무엇보다도 감동적이었던 수업나눔 시간! 2주 동안 대면과 비대면 수업을 공개하고 마지막 날 교과별 수업나눔과 전체 수업나눔을 진행했습니다. 페들릿에 수업참관을 올리니 감동이 더 커졌습니다.

학생들의 학습활동

진로북카페에 미얀마 수업 결과물이 전시되었습니다. 수업 시간에 미얀마에 관한 공부하고 우리가 무엇을 해야 하는지를 고민하며 함께 작업한 내용입니다. 그 앞에 서면 숙연하기도 하고 분노하기도 하면서 결코 남의 이야기가 아니라는 사실을 깨닫습니다.

　그사이 화학을 전공했지만, 지금은 광고기획자로 활동하고 계신 분의 강연도 듣고요. '생명공학과 4차 산업혁명'은 무슨 말씀을 들려주실까요?

　우리 학교는 실험 수업을 참 많이 합니다. 학생들이 직접 실험하면서 익히는 거죠. 교정 여기저기에 학생들이 하고 있는 학습활동이 보입니다.

재기발랄한 교내활동

　깜짝 공연이 열렸습니다. 공연밴드 동아리 아이들이 점심시간을 이용해서 공연을 한 거예요. 마스크를 썼다는 것만 다를 뿐 아이들의 몸짓, 환호성은 여전합니다.

　운동장에는 스포츠클럽 활동도 열리고요. 자기들끼리 역할을 나누어 진행하는데, 올해는 '마스크 착용'이라는 말이 자꾸 들리네요.

　이렇게나마 아이들은 다시 활력을 찾아갑니다. 그 틈에 1, 2, 3학년 모두 전국 단위 시험이 있었습니다.

　교실 뒤 거울에 비친 아이들 모습에 긴장이 배어납니다. 오락가락
한 빗줄기 사이로 앨범 사진은 남겨야 한다고(^^) 아이들은 자기들끼
리 준비한 모습으로 사진을 찍습니다.

　여지없이 교장실도 아이들이 몰려왔습니다. 대화 칠판에 남긴 하트
표시. 이 맛에 삽니다.^^

인창스튜디오와 진로북카페 개소

인창스튜디오는 5층에 세 실을 마련했고, 진로북카페는 중앙 현관에 열었습니다. 누구나 쉽게 이용할 수 있습니다. 스튜디오는 영상편집은 물론이고 실시간 수업을 할 수 있습니다. 당연히 교실마다 설치되어 있는 무선망과 함께 우리 선생님들의 수업은 물론 교육활동을 확장하는 데 큰 역할을 할 것입니다. 진로북카페는 학생들이 자기가 지원하고자 하는 대학 학과와 관련된 도서를 언제나 읽어볼 수 있도록 꾸몄습니다.

언제까지나 코로나에 주눅 들이 살 수는 없습니다. 우리 아이들에게는 두 번 다시 오지 않을 10대이고, 이 시기 소중한 경험은 우리 아이들의 삶을 크게 바꾸기도 합니다. 우리 학교는 이렇게 조심스럽게 한 발 한 발 일상으로 들어갑니다.

교장 선생님

알람이 울려 비몽사몽 학교를 간다.

친구와 이야기하며 잠을 깨며 학교를 간다.

한 줄씩 들어가며 학교 안으로 간다.

교장 선생님께서 여느 날과 다름없이 인사를 해 주신다.

이로써 학교에 도착한 것이 되었다.

다음 날에도 또 그다음 날에도.

오늘은 따뜻한 햇볕을 받으며 활기차게 학교를 간다.

나 혼자 조용히 걸으며 학교를 간다.

나 혼자 한 줄로 학교 안으로 간다.

하지만 교장 선생님이 보이지 않는다.

아, 젠장. 지각이구나.

우리 학교 학생이 수업 시간에 쓴 시라고 합니다. 제목이 '교장 선생님'이고 공간은 중앙 현관이라네요. 어느 학생이 '학교 안에서 가장 기억나는 공간'을 쓰라는 수행평가 시간에 썼다는데 너무나도 재미있어서 교과 담당 선생님께서 교무실 내에서 공유했나 봅니다. 다른 선생님들이 저에게 보여주라고 채근하니 수줍어서 못 하겠다고 주저하는 걸 교무부장 선생님이 저에게 보여주셨습니다. 한참을 웃었습니다. 마지막 구절 때문에 더더욱.

제가 중앙 현관에 서서 학생들이 들어올 때 인사를 합니다.
"안녕하세요?", "어서 오세요."
가끔 아이들 표정이 무거우면 "어, 오늘은 왜 이리 힘들어 보이니?"라고 물어봅니다.
아이들도 꼭 인사를 합니다.
9시 넘으면 저는 학교 운동장을 살펴보거나 제 방에서 그날 회의를 준비하기도 하죠. 그러니 9시 넘어서 오면 제가 현관에 없죠. 그러니 '아, 젠장. 지각이구나.' 하는 말을 한 거겠죠. 우리 친구의 재기발랄함이 재미있었습니다.

아침 인사를 하다 보면 저에게 따로 이런저런 이야기를 하는 친구도 있습니다.
"선생님, 환경 캠페인을 하던데요. 저게 과연 효과가 있을까요?"
아이들이 저에게 이런 말을 하면 귀담아듣습니다. 그리고 왜 그렇게 생각하는지, 또 다른 방법이 있다면 무엇인지 물어봅니다. 그러다 보니 우리 학교는 '무일 해 주세요'라는 말보다 '이렇게 합시다'라며 자신의 의견을 말하는 경우가 많습니다.

아침이 우리 학교 친구들 전체를 만날 수 있는 시간입니다. 등교하는 아이들 표정과 목소리는 요일마다 다릅니다. 깁스를 한 채 힘들게

목발을 짚고 오는 녀석은 나아가는 과정을 살필 수 있습니다. 아픈 배를 움켜쥐고 겨우겨우 걷는 아이는 보건실로 안내합니다.

아이들은 등교 시간이 거의 일정합니다. 일찍 오는 아이들은 매번 일찍 오지만, 늦게 오는 아이들은 헐레벌떡 뛰어 들어오면서도 매번 그 시간에 들어오죠. 1분만 더 일찍 서둘러도 좋을 텐데요. 오늘은 멋진 시인 친구 덕분에 아침맞이에 대해 주저리 이야기했네요.

학교자율과정 운영 주간

우리 학교에 특별한 학생이 편입학(?)했습니다. 학생회 친구들이 안승남 구리시장님을 명예 학생으로 임명한 것입니다. 저는 미처 생각하지 못한 일을 우리 1학년 학생회가 하네요. 구리시장과의 대화를 마치고 깜짝 선물을 했다네요. 안승남 명예 학생님, 방학 끝나면 학교 출석 잘해야 합니다.^^

저는 방학 직전 우리 아이들의 놀라운 모습을 기쁜 마음으로 지켜보았습니다. 2차 지필고사가 끝나고 방학 전까지 학교자율과정(숲 과정)을 운영했거든요. 그리고 전체 선생님들이 원격으로 모여 평가회를 했어요. 그게 방학하는 날이었죠.(이런 날에 평가회라뇨. 제가 갑질한 거 맞죠?^^) 그 자리에서 선생님들께서 나누신 말씀입니다. 우리 선생님들 말씀 들어보세요.

"프로그램을 계획하고 운영하며 프로그램을 운영하는 교사의 역할에 대해 배울 수 있었다. 가장 의미 있었던 방학 전 2주!"

"지필고사 이후 무너지는 학생들의 모습이 아닌, 학생들이 열심히 참여하는 프로젝트 수업이어서 좋았다."

"처음에 시작할 때는 '전체 학생들을 대상으로 가능할까?' 하는 생각을 했으나, 매 순간 여러 선생님이 의견을 주시면서 협업이 매우 잘 되었다. 학생들도 우수했지만, 인창 선생님들도 대단하다고 생각한다."

물론, 갑자기 원격으로 전환된 아쉬움도 묻어났어요.

"코로나 이후에는 학생들이 스트레스를 해소할 수 있는 체육, 공연 등 프로그램도 더해지길 바란다."

"피드백을 많이 해주지 못한 것이 아쉬웠다. 학생의 능력을 다시 보게 하는 기회였고, 담임으로서 의무와 책임에 대해서 다시 한번 생각해 보게 되었다."

대화는 2학기 수업 계획으로 이어집니다. 놀랍더군요. 계속 들어보세요.

"과학은 실험을 해야 하는데, 집에서 할 수 있는 위험하지 않은 실험 콘텐츠 개발이 필요하다."
"온라인에서도 상호작용을 활발하게 할 수 있도록 방안을 생각해보자."
"초청 강사의 강연 진행을 학생들이 하는 걸 보면서 아이들은 진행도 해보고 싶어 하고, 마이크도 잡고 싶어 하고, 주도적으로 뭔가를 해보고 싶어 한다는 걸 느꼈다."

그뿐이 아니었습니다.

"나보다 낫구나. 내가 알려주지 않아도 되는구나."
"가르치기보다는 큐레이션의 역할이 필요하구나."
"다음에는 처음부터 학생들이 기획할 수 있도록 맡겨보자."
"야구부 학생들이 발표에 참여하는 것을 보면 교사가 아이들이 안할 것이라고 판단하지 않고 기회를 주면, 아이에게 배움이 일어난다는 것을 다시 깨달았다."

선생님들도 크게 성장한 시간이었습니다. 이러니 제가 우리 학교 선생님께 '사랑합니다. 존경합니다'라는 고백을 할 수밖에 없지요.
아이들이 한 활동을 발표로 끌어내신 선생님들의 아이디어가 놀라웠습니다.

자기성장프로젝트 발표회(1학년)

포스트코로나 융합프로젝트 발표회(2학년)

더 늦기 전에 지구를 위해(2학년)

진로 심화 자율 탐구(3학년)

심화 융합형 자율 탐구(3학년)

이렇게 활동을 하면서 아이들은 크게 성장합니다.

"평소 친하지 않았던 아이들이 스스럼없이 찾아가서 주제에 맞춰 팀을 구성하는 모습이 놀라웠다."

"소극적인 아이들이 차분하고 조곤조곤하게 하는 걸 보며 못할 거라고 생각했던 나를 반성하게 되었다."

"새로운 형태의 수업을 준비하는 것이 때로는 힘들지만, 그래도 교사가 준비를 많이 했을 때 학생들도 더 즐거워한다는 것을 느꼈고, 아이들에 대해서도 더 알 수 있는 계기가 되었다. 다양하게 도전해야겠다."

아직도 우리 아이들, 어리게만 보시나요? 아직도 우리 아이들은 스스로 탐구학습을 할 수 없다고 생각하시나요? 아직도 우리 아이들은 어른이 꼭 쥐고 시켜야 한다고 생각하시나요? 아직도 학교에서 하는 교육활동이 걱정되시나요?

 학교는 학교교육과정에 따라 움직이는 곳이에요. 우리 학교는 행복한 교육으로 행복한 삶을 사는 것이 큰 목표이고요. 학교에서 하는 교육활동은 절대 허투루 하지 않지요.

2021년 2학기에 할 일

　창문을 닫으면 더워서 잠을 이루지 못하더니 어제는 창문을 모두 닫았습니다. 한밤중에 거실에 나오니 스치는 바람이 선득선득합니다. 날씨가 이러니 요즘은 최상의 기분입니다. 적당한 기온, 스치는 느낌이 좋은 바람. 하늘은 각양각색의 구름을 모아 그림을 그리고 초목은 봄, 여름 시간을 모아 열매를 만들어 냅니다.

　올해 9월 1일은 저에게도 특별하게 다가왔습니다. 이번에는 제가 집중해서 할 일을 정리해 보았습니다. 이 기록은 누군가에게 보여주려는 게 아닙니다. 저 스스로 결심하고 하나하나 실천하기 위한 것입니다.

　먼저, 학습코칭 시스템 완성입니다.

　학습코칭이야 교사라면 누구나 다 하고 있습니다. 아이들이 자기 교과에서 어디까지 도달하였고, 부족한 부분은 무엇이며, 무엇 때문에 이런 모습으로 나타나는지 살펴보고 거기에 따라 학생들하고 끊임없이 대화를 합니다.

　물론, 학생들도 선생님들께 물어보기도 하죠.

"샘, 어떻게 해야 국어를 잘할 수 있을까요?"

"수학 성적 올리는 방법은 뭐예요?"

저는 학교 차원에서 시스템으로 접근하고 싶어요. 특히 혁신학교인 우리 학교는 '진단-학습-도달 확인-피드백' 과정에서 학생이 스스로 하면서 끊임없이 교사들과 협력할 수 있는 시스템으로 자기 주도적 학습이 자연스레 일어날 수 있도록 하고 싶습니다. 지금까지는 이런 과정을 모두 개별 교사가 했거든요. 교사의 열정에 맡겼다는 말이죠.

한 학기 동안 잘 정비하면 내년 신입생부터는 학습에서도 자기 주도적, 개별화가 이루어질 수 있겠죠.

두 번째는 학점제 기반 구축입니다.

우리 학교는 내년에도 한 학급이 줄어듭니다. 학급당 학생 수도 줄어 24명이 된다니 예산도 줄고, 교사도 줄어들죠. 대신에 공간이 늘어납니다. 그래서 이 모든 공간을 재정비하여 강의실과 학습준비실, 관리실, 휴게실로 재조정하려고 합니다. 특히 내년 3학년은 대부분 과목을 이동 수업해야 합니다. 그렇다면 학생 개인 물품을 두어야 할 장소, 아울러 짬짬이 쉴 수 있는 장소가 필요하다는 거죠.

요즘 리모델링되어 깨끗하게 정비된 학교를 보면 부럽기는 합니다. 하지만 우리 학교까지 차례가 되지 않으니 있는 돈으로라도 깨끗하고 실용적으로 이용할 수 있도록 해야죠.

아울러 원격수업과 대면수업이 한 홈페이지에서 자유롭게 넘나들 수 있도록 정리해 두어야 하고요.

그리고 대학과 지역 내 주요 기관과 교육과정 업무협약입니다. 9월

중에 한 대학, 지역의 기관과 업무협약을 맺을 예정입니다. 고교가 이들 대학이나 기관에 도움을 줄 일은 그리 많지 않을 겁니다. 반면에 고교로서는 큰 도움을 받을 수 있죠.

학생들이 인공지능 관련 수업을 주문형으로 하면서 단계별로 진행을 하는 데 도움을 받으려고 합니다. 또 창체활동이나 기타 프로젝트 활동을 할 때 도움을 받을 수 있을 겁니다. 우리 학교의 캠퍼스를 넓히는 일이죠.

올가을은 이렇게 차곡차곡 준비하는 시간입니다. 물론, 집단지성을 모아 학교를 움직이는 지금까지의 우리 학교 모습은 계속 이어갈 거고요. 마찬가지로 지금까지 했던 자랑스러운 일들은 더 발전시켜야 하고요. 그러면서 서서히 마무리 작업을 해야 하는 거지요.

이러한 모든 것의 최종 목표는 언제나 '모든 교육공동체의 행복'입니다. 지금까지 그랬던 것처럼 다 잘 되겠죠. 그럼요. 잘 될 겁니다.

존중의 약속

인창고 공동체의 아기자기 오손도손 이야기를 전하는 시간, 다른 어느 때보다도 가슴이 콩닥콩닥 뛰고 즐겁습니다. 이번에도 이야깃거리가 넘쳐 조정하느라 고생 좀 했습니다.

그래도 이 이야기를 하지 않고 넘어갈 수는 없지요. 인창고 3주체 회에서 제안하고 주체별로 수정·검토한 '존중의 약속'이 드디어 확정되었습니다.

'내가 존중받는다고 느낄 때'

'이런 말이 듣고 싶어요.'

존중이란 하나의 당당한 인격으로 인정받고 서로 인정한다는 말이잖아요. 우리는 서로를 있는 그대로 인정하고 받아들이기 위해서 2개월 동안 학생회 대표, 학부모회 대표, 교사회 대표가 모여 쉽고 구체적인 언어로 약속을 만들었습니다.

"존중의 약속이 멋지게 나와서 뿌듯합니다."

"존중의 약속이 공중에 뜬 느낌이었는데 완성된 걸 보니 각 주체의 마음이 잘 담긴 것 같습니다."

학생회 대표, 학부모 대표의 말이 아니더라도 존중의 약속이 우리 학교의 온화하고 긍정적인 분위기를 계속 이끌어가는 디딤돌이 되면 좋겠어요.

저는 무엇보다도 '어느 위치에 있든 자존감을 가질 수 있도록 교육한다'는 문장이 크게 다가오더군요.

그리고 25일(토)은 학교에 학생들이 많이 왔어요. 우리 학교 '동아리 온라인 오픈랩'이 있었거든요. 지역사회 학생들의 진로탐색과 과학 문화 확산을 위해 매년 구리역 광장에서 진행한 행사인데 코로나 대유행으로 작년에 이어 올해도 온라인으로 진행했어요. 실험 수준을 초·중·고로 나누고 시간대를 나눠 진행을 하였습니다. 이런 행사를 하면 참 고마운 점이 우리 학생들이 고민을 많이 하고 열심히 한다는 겁니다.

아래의 왼쪽 사진은 '큐!' 사인이 떨어져 막 시작한 동아리이고, 오른쪽 사진은 '레디!' 상태입니다. 바빠 보이죠. 참여한 학생들도 열심히 하네요.

그런데 이 행사를 하기 위해서는 사전에 많은 준비를 해야 해요. 미

리 신청을 받고 필요한 물품을 다 보내야 하거든요. 위 사진은 우리 학생들이 택배 상자에 일일이 물품을 넣는 모습입니다.

아래 장면은 연휴 기간에도 나와서 리허설하는 모습입니다. 그런데 창문에 무언가 잔뜩 붙어 있지요. 우리 학교는 학생들이 다양한 학

습을 하면서 나온 결과물을 저렇게 창문에 붙이거나 복도에 전시합니다. 저 내용은 '청소년이 만들고 싶은 미래'라는 주제로 수업 시간에 토론했던 건데요. 참 인상적인 것 중 하나가 '청소년 인생 설계 학교를 만들라'였어요. 그리고 '주거 문제 해결'도 심심찮게 눈에 띠네요.

　아래 사진은 기후위기 학급신문인데요. 아이들이 정성껏 만들기도 했지만, 이런 기회를 통해 기후위기도 함께 생각하면 좋겠어요. 저는 그래서 '교장쌤의 책선물' 네 번째 책으로『그레타 툰베리의 금요일』을 준비했어요.
　'교장쌤의 책선물'이 뭐냐고요? 2주 정도 간격으로 학생들이 읽으면 좋겠다는 책을 구입해서 제 방 앞 대화 칠판 앞에 둡니다. 읽고 싶은 사람 가져가라고요. 그럼 아이들은 쪽지에 '꼭 읽어보겠습니다' 또는 '감사합니다'라고 답장을 쓰고 가져갑니다.

　이렇게 이야기가 넘치다 보니 광운대학교와 교육과정 업무협약과 수업나눔 이야기는 뒤로 밀렸네요. 다른 때 같으면 제일 먼저 말씀드

렸을 텐데요.

학생들의 배움을 넓혀가기 위해서 현재의 교육과정 편성으로는 한계가 있다고 생각해서 인공지능, 로봇학 등에 특화되어 있고 이를 기본으로 다른 학문과 융합 수업이 활발하게 일어나는 광운대학교와 MOU를 맺었습니다. 종종 진행과정을 올릴게요.

이 시기에 우리 선생님들은 또 한 번의 수업나눔을 했습니다. 저는 이번 우리 선생님들이 무엇에 큰 관심을 나타냈을까를 정리해 보았죠. 이제는 피드백, 질문, 참여, 협력으로 수업을 디자인하고 계시더군요. 참 자랑스런 우리 선생님들입니다.

숨 가쁘게 달리다 보니 어느새 가을이네요. 다음에도 재미있는 이야기 준비할게요. 안녕!!!

행복한 삶을 고민하는 중3 친구들에게

우리 학교 건물을 온통 새빨간 담쟁이가 감싸고 있네요. 이렇게 가을이 오면 중학교 3학년 친구들은 고등학교 선택을 앞두고 많은 고민을 하게 됩니다.

"어느 고등학교에 가지?"

그럴 때마다 어른들은 말씀하시죠? 대학 잘 가야 한다고…. 물론, 대학도 잘 가야죠. 그렇다고 꽃다운 10대를 대입 준비로만 보낼 수 있나요?

오늘은 중학교 3학년 친구들에게 행복한 학교 인창고 이야기를 들려드리려고 해요.

먼저, 우리 학생회 친구들이 만든 동영상을 보실까요? (https://m.site. naver.com/qrcode/view.naver?v=0RuKT)

매일 아침 일찍 등교하여 자기들끼리 만들어 낸 멋진 작품입니다.

또 있어요. 우리 학교는 학생들이 다양한 경험을 할 수 있도록 풍부한 교육과정을 운영합니다.

동영상 두 개를 소개합니다. 놀라지 마세요. 짜잔.

https://m.site.naver.com/qrcode/view.naver?v=0Rwsf

https://www.youtube.com/watch?v=dxfuBlTtl_k

우리 학교 홍보지 표지 보세요. 단정하면서도 예쁘지 않나요? 우리 학교 학생들을 닮았답니다. 우리 학교는 '행복한 학교'를 꿈꿉니다. 3년 동안 열심히 공부하면서 '자존감, 삶과 연계, 자주성, 책임감, 호기심'을 키우게 됩니다. 무엇보다도 행복한 학교생활을 하면서 행복한 삶을 준비하도록 합니다. 홍보지에 '인창고 공동체 존중의 약속'도 담겨 있습니다. 꼭 읽어보세요.

자, 이제 본격적으로 인창고 일 년은 어땠는지 살펴볼까요?

'주제별 체험학습'과 '학생중심교육과정'은 우리 학교의 자랑입니다. 주제별 체험학습은 '길 위의 학교'라는 제목으로 진행하는데요. 학생 스스로 주제를 선정하고 1학년은 1일 동안, 2학년은 3일 동안 친구들과 함께 활동합니다. 그리고 우리 학교는 책 읽기를 무척이나 강조합니다. 일 년 동안 정말 많은 책을 읽을 수 있어요.

인문사회 역량 강화 프로그램과 과학중점교육과정 프로그램은 우리 친구들의 실력과 세상을 폭넓게 보는 능력 그리고 자신의 꿈을 이루어가는 과정이 탄탄하게 짜여 있어요.

이 많은 걸 언제 다 하냐고요? 이게 모두 교과 수업과 연결이 되어 있어요. 수업 시간에 열심히 하다 보면 어느새 이걸 다하게 되죠. 나도 모르게 성적도 쑥쑥 올라가고 꿈꾸던 대학도 가까이에 와 있죠.

코로나 시기지만 온라인으로 하는 교육활동도 모두 교과수업과 연결하여 참 많이도 했네요. 그리고 학생자치 활동, 동아리 활동도 풍부하죠. 3년 동안 '어떻게 살 것인가?'도 많이 고민해야 하잖아요.

우리 학교의 진로활동을 보면 학년별로, 단계적으로 구성된 걸 볼 수 있죠. 차근차근 따라가다 보면 내 꿈을 이루는 방법을 배울 수 있답니다.

행복한 학교, 여러분의 소중한 꿈을 이루는 방법을 배우는 학교. 이런 학교를 신문이나 방송에서 놓치지 않겠지요? 그중 여러분의 학습과 관련된 내용만 추려본 거예요.

'일반고에서 미국 대학 진학한 김○○ 씨'

'구리 인창고, 광운대학교와 고교학점제 안착을 위해 손잡다'

'교육과정 우수 고교에 가다'

자랑할 게 참 많아요. 그중 으뜸은 인창고는 학교를 믿고 열심히 참여하는 학생들, 따뜻한 시선과 허용적인 마음을 지닌 선생님들, 그리고 이를 든든하게 지지하고 믿는 학부모님들이 서로 존중하고 배려하는 '행복한 학교'랍니다.

궁금하다고요? 언제라도 오세요. 학교 문을 항상 열어 두겠습니다.

가을과 겨울 그사이

어느 때보다도 숨 가쁜 일주일을 보냈기에 지금 이 시간은 너무나 행복하고 감사한 시간입니다. 평화로운 마음으로 인창고의 가을과 겨울, 그사이 모습을 살펴봅니다.

11월 학교는 참 많은 일이 있었네요. 전면원격과 수능 그리고 전면 등교…. 어느새 학기 말로 치닫는 일상입니다. 그 속에서 인창고 안에서 일어난 따뜻하고 활기찬 이야기 들어보세요^^ 이왕이면 따뜻한 커피 한 잔 마시면서요.

교장샘의 책 선물

교장실 앞에 학생들과 주고받는 대화 칠판 옆에 제가 추천하는 책을 놓습니다. 원하는 학생은 누구나 가져가 읽는 거지요. 감사 메모 정도만 남기면 됩니다. 제 강연비나 원고료로 구입해서 놓았는데 그게 어느새 8번째 이벤트를 기다리고 있네요.

그런데 6번, 7번, 8번은 뜻밖의 지원군을 만났어요. '빈빈책방' 배혜진 님이 '미래를 여는 경이로운 직업의 역사' 시리즈를 계속 보내주시네요. 1권 교사 편. 2권 학자, 사서, 큐레이터 편, 오는 월요일에는 3권

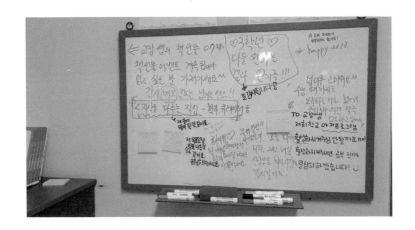

의사 편을 두게 되는데, 이 책도 순식간에 나가지 않을까 생각합니다.

배혜진 님과 인연은 이 시리즈의 추천사를 쓰면서 시작됐습니다. 아주 귀한 책을 보내주셔서 제 이벤트가 더 풍성해지고 있습니다. 혹시 우리 아이들을 위해 좋은 책 보내주시면 사양하지 않겠습니다.^^

면접 준비

수능이 끝나니 3학년 교실은 면접시험장이 됩니다. 면접 유형에 따라 준비하는 학생들을 돕기 위해 선생님들이 정성을 쏟고 있습니다. 저도 조금이나마 도움을 주면 좋겠다고 생각하여 교장실로 찾아오는 학생들은 적극 도와주고 있습니다. 이렇게 찾아오니 서로 얼마나 좋은가 몰라요. 월요일이 가장 절정입니다. 시간대별로 약속을 잡았어요. 지치고 힘들더라도 우리 아이들 돕는 건 최우선입니다.^^

우리 아이들 정말 보석이더군요. 직접 만나서 도와주기도 하지만 자신의 면접 동영상을 찍어 올린 아이는 메일로, 시간이 맞으면 줌으로 만나 이야기를 나누기도 합니다.

자율활동

저는 우리 인창고 친구들이 서로 힘을 합쳐 무언가를 하면 너무나
도 좋습니다.

"그래, 우리는 이미 작가잖니?"

자기들이 쓴 시와 산문집을 가지고 온 학생에게 이렇게 말하고 사
진을 찍었습니다. 처음 이 동아리를 만든 취지는 '우리의 글을 쓰자'
라네요. 참, 야무진 꿈입니다. 이렇게 멋지게 이루었네요.

'내가 쓰고 싶어서 쓴 글은 그 어떤 글보다도 소중하고 귀했다'고
말하는 5명 친구들의 활동에 박수를 보냅니다.

학교 홍보지를 제작한 '앰배서
더' 동아리. '100% 학생 입장에서
작성한, 입학 후 읽어보시면 조금
이나마 도움이 될 이야기들'을 적
었다고 자부심이 대단합니다.

스포츠 활동

학교는 역시 아이들이 있어야 하지요. 선생님들이 아이디어를 내서 점심시간을 이용하여 격렬하지는 않지만 그래도 움직일 수 있는, 그리고 학급 전체가 함께할 수 있고 소리도 마음껏 지를 수 있는 종목을 개발했습니다. 아이들이 엄청 좋아하더군요.

가을이 짙어가는 교정에 아이들의 힘찬 함성이 있으니 비로소 학교답네요. 건강한 모습, 활기찬 모습. 그렇죠. 이게 바로 인창고의 모습이죠.

인창아카데미

코로나가 무섭다고 움츠리고 있으면 안 됩니다. 꾸준히 이어온 인창아카데미는 우리 사회 곳곳으로 더 깊어지고 전 세계로 더 넓어집니다. 그리고 우리가 사는 곳에 숨어있는 역사 속으로도 들어가고요. 과학 수업 활동도 계속되고 있네요. 어느 날, 교장실에서 업무를 보다가 벌떡 일어나 창밖을 보니 팀프로젝트 활동 마무리에 한창…. 청문도 미처 열지 못하고 바로 사진부터 찍었답니다.

저는 인창고 이야기를 쓰는 시간에는 할 말이 너무 많아지네요. 그 순간순간이 너무나 행복하고요. 그래도 오늘은 여기서 그만. ^^

인창고의 12월

2022년 첫 소식입니다. 작년 12월을 거의 정리하지 못하고 넘어왔습니다. 그렇게 정신없이 흘러왔던 시간이었지요. 정리를 하다 보니 우리야말로 '위드 코로나'를 하고 있었네요. 조마조마, 아슬아슬, 그러다가 재빠른 대처. 몇 번이나 위기는 있었지만, 그마저도 잘 넘어왔다는 생각이 든 12월 인창의 모습입니다.

모두가 한마음으로 졸업식을 진행하다

코로나를 직격으로 맞은 아이들이기에 선생님들이나 학생, 학부모의 마음은 간절했습니다. 한데 모이지는 못하더라도 자기 교실에서 만나는 시간은 가질 수 있도록 하자는 마음이 모이니 여기저기서 아이디어가 속출합니다.

이번 졸업식의 테마가 '인창에서 세상으로 날다'였습니다. 학생회에서 준비한 항공권은 멋진 아이디어였고 여기저기 포토존을 꾸민 선생님들의 정성이 합쳐졌습니다.

졸업식은 유쾌하면서도 감동이 있었습니다. 사회 보는 학생은 물론 답사를 하는 학생회장도 울컥하는 모습이 보였습니다.

항상 따스하게
받아주셔서 감사합니다.

학교에서 만든 두꺼운 앨범보다는 학급에서 만든 작은 앨범이 더 정겹게 다가오네요. 저에게는 무엇보다도 '항상 따스하게 받아주셔서 감사합니다'라고 남긴 저 말이 깊이 남네요.

우여곡절 속에 진행된 동아리 발표회

아이들이 활동하는 모습을 찍지 못했습니다. 아이들이 활동하는 장소도 가보지 못했습니다. 그 이유는 아이들이 학년 구분 없이 모두 섞인 후에 확진자 발생 소식을 들었기 때문입니다. 긴급회의가 소집되고 아이들의 활동은 축소해야 했습니다. 애써 준비한 몇 개의 동아리는 활동을 접고 보건소로 달려가야 했지요.

흥겹지는 않았지만 그래도 어찌어찌 마치고 학생들이 귀가한 후에야 아이들의 흔적을 찾아보았습니다. 무려 세 번이나 연기되었던 활동이었지만, 그래도 아이들은 잘 준비했는데 '코로나가 조금만 도와주었더라면 좋았을걸' 하는 아쉬움이 가득한 시간이었습니다.

그래도 이어진 교육활동

이런 시기에 뮤지컬 관람이라니.^^ 공연장이야말로 방역을 철저하게 하리라는 믿음과 우리 아이들에게 뮤지컬 관람이라는 특별한 경험을 할 수 있도록 해야겠다는 의지가 한데 모였습니다.

다녀온 후 한 학부모님은 "어려운 시기에 뮤지컬 관람이 걱정스럽

기는 했지만 다녀온 후 아이가 너무나도 좋아하는 모습을 보면 잘했다는 생각이 들었다"라고 응원해 주시기도 했습니다.

그뿐만 아니었죠. 별 보러 간 동아리도 있었습니다. 우리 아이들에게 이날 본 별은 아마도 특별했을 거예요. 별을 가슴에 품고 예쁘게 성장하면 좋겠습니다.

그사이에 학생이 제안하여 진행된 '포노 사피엔스를 위한 교육'. 우리가 생각하는 교육의 방향에서 우리 아이들은 한결같이 '행복한 교육'을 말하더군요.

"학교는 이런 인재가 되어야 한다는 정형화된 인재상을 정하지 말고 학생들이 꿈꾸는 모든 모습이 자기 모습이 될 수 있는 교육을 하면 좋겠다."

이 학생의 말은 귀한 화두가 되었습니다.

곳곳에 놓인 학생 작품

학기 말이 되면서 아이들 작품이 학교 곳곳에 전시되기 시작했습니다. 저는 돌아다니며 이 작품들을 보며 감탄하기도 하고 즐거워했습니

다. 기발한 것도 있었고 교사들의 배려도 돋보인 것도 있었습니다. 하나하나 사연이 있기에 따로 말씀드리려다가 그만 시간을 놓쳤습니다.

이렇게 우리는 한 학년도를 마쳤습니다. 조금이라도 더 학생들이 신나게, 그리고 학생들이 예쁘게 성장할 수 있도록 했습니다. 2022년도 인창고에서는 무슨 일이 일어날까요?

겨울과 봄 사이

오늘 아침 창문으로 들어오는 바람에 봄이 묻어 있습니다. 어느새 겨울이 지나고 봄이 우리 곁에 왔네요. 아, 그사이 우리 학교 학생 인터뷰가 〈내일교육〉에 실렸네요. 이 친구는 수학이 너무 좋아 학교가 개설한 수학 교과를 대부분 들었죠.

눈여겨보던 학생이었는데 기사를 보니 역시 특별하네요. 저는 무엇보다도 이 친구의 마지막 말이 남네요.

> 무언가를 정해놓고 그 안에서만 움직이기보다 자신의 흥미가 이동하는 방향을 잘 따라갔으면 좋겠어요. 전 학교 동아리로 2년 동안 선동 활을 나누는 '국궁'도 했을 만큼, 하고 싶으면 했어요. 그렇게 하다 보면 어느 순간 진로의 방향이 보일 것이고, 이 과정은 학생부에 자연스럽게 나타날 거라고 봐요.

대부분 학교에서는 이번 주와 다음 주 사이에 새 학기 준비를 위한 연수를 하겠죠. 우리 학교는 공감서클로 마중물 연수를 시작합니다.

마중물 연수는 처음으로 모든 교사가 한자리에 모이는 자리입니다. 서먹서먹하기도 하고 새로운 업무에 대한 부담감으로 무겁습니다. 그래서 늘 그 시작은 공감서클로 문을 엽니다. 올해도 마찬가지입니다.

올해 우리 학교 마중물 연수 프로그램은

- 공감서클
- 우리가 만들어 가는 인창고 2022
- 혁신학교 안내
- 교사회 및 3주체 협의회 소개
- 전입교사 Q&A
- 우리 학교 교육과정 안내
- 교과별 교수학습평가 협의회 등이 있습니다.

2022년 새 학기를 위해 교장실 아이디어 칠판을 깨끗하게 비웠습니다. 이제 다시 저기를 채워야지요.

저는 올해 우리 인창고를

- 행복한 삶을 위한 교육
- 전문적 학습공동체(교과협의회)/3주체 협의회 활성화
- 학습코칭 시스템 도입(진단-학습상담-피드백) : 수업-평가에 집중
- 학점제 기반 조성
- 우리 학교 교육성과 정리와 학교 체제 준비

에 중점을 두려고 해요. 함께 조금씩 움직이려고 합니다.

방학 기간이지만 덴마크 류슨스틴 학교와 온라인 교류가 있었고요.

야구부 아이들도 힘차게 시작을 했습니다. 졸업식 영상을 예쁘게 담아 저에게 선물한 학생회장. 사회 속으로, 세계로 훨훨 날아가라고 비행기 표에 음료 쿠폰을 담아 선물을 했던 그 아이디어를 낸 우리 학생회장. 언제나 어디서나 반짝반짝 빛나리라 생각합니다.

고맙게도 매년 정성을 담은 글귀로 감동을 선사하시는 효암고 이강식 선생님. 올해도 염치없이 받기만 하네요. 고맙습니다.

기지개를 켜다

"교장실에 이렇게 오래 있는 건 처음이에요."

정신없이 2주 정도를 보내고 나니 문득 우리 학교에 첫 발령을 받으신 선생님이 어떻게 지내셨는지 이야기를 나누고 싶었습니다.

"저도 갓 교직에 나왔을 때 가장 어려웠던 일이 교무실 들어가는 거였어요. 왜 그런지 교무실에 계신 선생님들이 너무 어려웠거든요. 차라리 수업 들어가는 게 더 편했었는데…."

박수까지 치면서 공감하십니다. 학생들과 수업 시간에는 신이 나는데 교무실에서는 조심하게 된다고 하시네요.

"선생님, 앞으로 닥칠 모든 일은 다 처음 겪는 일이잖아요. 모르는 게 당연하죠. 그러니까 미안해하지 말고 조금은 뻔뻔하게, 그리고 당당하게 아무나 붙들고 물어보세요. 괜찮아요. 처음부터 잘하는 사람은 없어요^^"

이런 말씀 드린 이유는 간단해요. 저도 처음 교직에 나왔을 때 요즘 첫 발령을 받으신 분들보다 훨씬 못했어요. 교무실에 계신 선생님들이 다들 엄청 노련해 보였고, 저만 자꾸 틀리는 거 같아 속상하기도

했고요. 우리 선생님과 대화한 그 시간은 과거 새내기 저 자신에게 들려준 이야기 같아요.

우리 학교도 서서히 기지개를 켭니다. 인창아카데미와 드림비전을 시작하고요. 주문형강좌도 이번 주에 문을 엽니다. 팀프로젝트도 희망학생을 받기 시작했고요. 면학실 개방과 또래 멘토링도 시작합니다. 아이들이 들어와 움직이니까 교정에 있는 수목과 새들도 활기를 찾습니다. 복도에 아이들 목소리도 높습니다.

다가오는 주는 계획된 일이 많네요. 학부모회도 열리고요. 오미크론과 조심스런 동행이 이루어지는 거지요.

올해도 인창아카데미는 오연호 선생님의 특강으로 시작합니다. 매년 '우리도 행복할 수 있을까?'라는 주제로 여는 인창아카데미는 올해도 다양한 주제가 이어집니다.

과학 드림비전 프로젝트는 졸업생들과 재학생들이 대화를 하는 것으로 시작합니다. 졸업생 세 명이 찾아오는데요. 온라인과 대면으로 진행합니다. 이런 시간에도 많은 친구가 참여하면 좋겠어요.

작년에는 다양한 주제, 다양한 분들이 오셨네요. 강의도 하시고 우리 학생들을 격려하시는 말씀도 남기셨네요.

'미래는 인창고 학생들에 달려 있습니다. 활기찬 미래를 펼치시길 바랍니다.'

그래요. 우리 인창고. 다시 본격적으로 움직여 볼까요?^^

교정에 봄이 피다

　사람 사는 곳은 감염병으로 아우성인데 봄은 계절 따라 성실하게 꽃을 피웁니다. 교정에도 어김없이 꽃이 핍니다. 꽃이 피니 확실히 아이들이 가장 좋아합니다. 우리 학교 사진 명소에는 학급 단위로 몰려가 연거푸 사진을 찍습니다. 학교 울타리 따라 노란 개나리가 흐드러지고 목련은 그 어느 해보다도 환합니다. 살구꽃도 만발했네요.

　"이쪽 개나리는 옆의 중학교에서 피어 넘어온 것 같아요."

　"아니야. 뿌리는 우리 쪽에 있는걸."

　아무렇지도 않은 말이지만, 아이들은 숨이 넘어가도록 웃습니다. 예쁘고 크고 화려하게 제 모습을 드러낸 꽃도 예쁘지만, 낮게 저들끼리 어울려 돌 틈에서, 거친 흙을 딛고 피어난 작은 꽃들도 하나하나 참 예쁘네요.

관리강사

　지난 주간이 우리 학교로서는 가장 어려웠을 겁니다. 여러 교사가 재택 수업을 해야 하는 상황이 생겼거든요. 무려 49시간의 보강이 생기고 더 이상 이를 다른 교사들이 맡아 줄 수는 없었습니다. 관리교사를 긴급히 채용하였습니다.

한 주일을 지낸 뒤 이분들과 이야기를 나누었습니다.

"정말 큰 역할을 해 주셨어요. 많이 힘드셨지요?"

서 있는 일이 이렇게 힘든 줄 몰랐다고 하십니다.

"저희야 교재를 나누어 주거나 영상을 틀어주고 학생들이 집중할 수 있도록 도와주는 일인데 이게 그렇게 힘든 일인 줄 몰랐어요."

"점심시간 50분이 굉장히 짧은 시간이더라고요."

"그래도 아이들이 너무나도 예뻐서 좋았어요."

몸이 아픈데도, 특히나 목이 아픈데도 재택 수업을 하시는 선생님들의 마음에 공감하며 열심히 하는 아이들이 너무나 예쁘다는 말씀이 저에게도 힘이 되네요.

1학년 전체 태블릿PC 지급

학교에 들어온 태블릿PC를 학생들이 이용할 수 있도록 나누어 주었습니다. 1학년은 모든 학생에게 2, 3학년은 희망하는 학생들에게 나누어 주었습니다. PC를 나누어 준다는 건 학습활동에 적극 활용해

야 한다는 거니까요.

교사들의 수업 형태가 블렌디드 형태가 되어야겠지요. 이미 교실에는 와이파이가 작동되고, 우리 학교는 구글클래스룸으로 온라인 학교가 구축되어 있고, 선생님들도 충분히 온라인 수업과 대면 수업을 반복한 경험이 있으니 교과서와 유인물 없이도 어느 자리에서나 수업이 자유롭게 진행되면 좋겠다고 말씀드렸습니다.

바로 1층 현관에서 학생들이 태블릿PC로 공부하다가 잠깐 자리를 비웠네요. 특이한 건 3학년 학생도 많이 신청하더라구요. 아마도 수능특강 때문일 것 같아요^^. 모두 다 지급하려고 합니다.

기지개 켜는 학생들의 움직임

운동장에, 방과 후 빈 교실에 아침 이른 시간에 아이들이 삼삼오오 모여 있습니다. 운동을 하는 아이도 많이 있고요. 아침부터 바삐 오가는 선생님들도 계십니다. 운동장에는 학급별 대항이 한창입니다.

　올해는 우리 아이들의 모습을 더 깊이 제 눈에, 마음에 새기려고 합니다. 봄이 되니 특별히 대학과도 많은 협의를 하게 됩니다. 비상식이 상식을 누르는 것 같아도 그래도 많은 대학과 학교는 여전히 교육을 고민하고 있습니다. 우리 아이들의 삶을 고민하고 학교 교육이 바로 서기를 염려하고 계십니다.

　저도 우리 인창고 친구들이 약게 살아가기보다는 친구들과 함께 서로 손잡고 행복한 삶을 향해 한 걸음 한 걸음 나아가기를 빕니다. 그렇게 세상을 바꾸는 일을 하기를 빕니다.

학교, 살아나다

"우리 학교 동아리는 우리가 만들고 운영합니다. 선생님들이 만들라 말라 할 수도 없고, 그렇다고 해도 학생들이 지원하지도 않을 거라 생각합니다."

우리 학교 3주체 회의에서 학생회 대표로 나온 동아리 담당 학생이 똑 부러지게 말합니다. 어느 학부모께서 학생들의 진학을 위해 특정 성격의 동아리를 만들어 달라는 의견이 있었다고 합니다.

"저는 과학동아리인데요. 우리 동아리 안에서도 그런 프로그램을 운영하고 있거든요. 학생들이 필요하다면 만들고 운영하면 다 지원합니다."

학생회장도 덧붙입니다.

우리 친구들이 야무진 건 알고 있었지만, 이렇게 분명하게 말하는 모습을 보니 뿌듯합니다. 학생들이 학교 운영의 당당한 한 주체임을 분명히 알고 있으니 우리 학교가 3주체 회의를 계속해야 할 이유도 분명합니다.

여기에도 참여해 보세요. 지난 주간 각 교실에는 '용기 내 캠페인'

이라는 안내판이 걸렸습니다. 음식 포장으로 발생하는 일회용품 쓰레기를 줄이자는 취지로 다회용기나 에코백 등에 음식을 포장하는 운동이라고 합니다. 5월 9일에서 20일까지 실천 사진과 소감을 QR코드 패들릿에 올리면 선물도 준다고 하는데요. 꼭 우리 학교 학생들뿐만 아니라 이 글을 읽는 모든 분이 함께 참여하면 좋겠습니다.

처음 '용기 내'라는 말을 들었을 때 무슨 의미인지 몰라 물었더니 용기가 하나는 그릇이라는 의미와 또 하나는 주저하지 말고 용기를 내라는 의미라고 하더군요. 재치 만점인 작명이었습니다.

야구부 아이들이 참여한 전반기 주말리그가 끝났습니다. 21일에 주말리그를 또 하게 됩니다. 올해 주말리그는 감동적인 상면이 많았습니다. 특히 8:0으로 끌려가다가 연장 끝에 뒤집었던 경기는 감동 그 자체입니다.

마지막 경기는 직접 가서 보았습니다. 1루까지 전력 질주하다가 베이스에 걸려 넘어지는 친구 모습에 응원 나오신 아버지께서 속상해하십니다.

"다치지 마라. 왜 자꾸 다치고 그러니."

아마도 부모님 마음은 다 같은가 봅니다. 모든 아이가 다 내 아이입니다.

아이는 툭툭 털고 일어나 곧 2루를 훔칠 생각을 합니다.

홈런도 나오고 3루타도 나옵니다.

투수는 오늘따라 씩씩하게 잘 던지네요.

이번 주 인창고는 많은 활동이 예정되어 있습니다. 인창아카데미 두 번째는 '고통에 이름을 붙이는 사람들'이라는 제목으로 노동환경건강연구소 한인임 연구원이 오시고요. 교사들은 정해진 선생님을 모시고 혁신학교의 철학에 대한 말씀을 듣습니다.

화요일 밤에는 천체관측 프로그램이 진행되고요. 수요일 저녁에는 온라인으로 학부모 간담회를 진행합니다. 이번 간담회 주제는 '학교생활기록부의 모든 것'인데 신청은 인창고 학부모밴드에서 받고 있습니다.

동아리 아이들이 재배한 농작물입니다. 첫 수확물이라고 저에게 가져왔습니다.

"잘 먹을게."

확실히 아이들이 활발하게 움직이니 학교가 살아납니다.

인창고 혁신학교 종합평가 콘퍼런스

'혁신과 함께한 인창고, 다시 시작하는 미래'

혁신 12년 차인 인창고가 외부 여러 선생님과 학부모를 모시고 진행한 종합 콘퍼런스를 마쳤습니다. 재미있었다, 즐거웠다는 평이 반가웠고, 학생회와 졸업생의 발표에는 흐뭇한 미소가 흘렀습니다.

누가 교육정책을 맡든 상관없이 학교가 계속 이어가야 할 교육 가치는 여전히 '행복한 교육, 행복한 삶'이라는 걸 눈물겹게 확인한 시간이었습니다. 사진과 함께 그날의 감동을 깊이 새깁니다.

콘퍼런스는 전체 3부로 구성했습니다. 1부 시간인 오전에는 수업을 공개하였습니다. 이 시간에는 학부모님들께서 자녀가 공부하는 모습을 보고 싶다며 찾아왔습니다.

오후 시간, 2부는 4년 동안 우리가 했던 교육활동을 5분임으로 나누었습니다. 교사들은 4분임까지 나누어 들어갔고 학생회는 5분임에 들어갔습니다. 지난 활동을 살펴보고 앞으로 인창고의 교육활동을 설계하는 시간이었습니다.

정문과 후문에 현수막이 걸렸습니다. 그동안 우리는 혁신과 함께했고 우리의 문화가 되었기에 앞으로 새로운 미래를 시작하리라는 자신감이 주제로 나타났습니다.

각 분임별 활동은 먼저 동영상 시청으로 시작했습니다. 토요일마다 우리의 활동을 기록으로 담아주신 소중한 분들 덕분에 재미있고 소중한 영상을 보며 우리가 했던 활동을 되돌아볼 수 있었습니다. 이래서 협업이 참 중요한 거죠. 특히 졸업생들이 회상하며 이야기를 나눈 5분임은 매우 관심이 높았습니다.

영상을 보고 나눈 이야기는 패들릿으로 전체 공유를 했습니다.

궁금한 건 참을 수 없나 봅니다. 학생회 분임 뒤에 앉으신 분들께서는 영상 속 얘기를 계속하여 메모하십니다. 그리고 경기도교육청 대변인실에서는 아예 커다란 카메라를 가져와서 수업공개 장면에서 콘퍼런스 전체를 담았습니다. 우리한테도 보내 주시려나 모르겠습니다.

보내주시지는 않더라도 새 당선자께서 혁신학교를 잘 이해할 수 있는 교육자료로 사용하시길 바랍니다.

제가 전체적으로 요약하여 혁신 3기(2018~2022) 우리 학교 교육활동 내용을 발표했습니다.

차례대로 학부모회, 학생회, 교사회 그리고 졸업생의 발표가 이어졌습니다. 정말 당당한 학교 운영의 주체로서 자신들이 보아왔던 학교 모습, 그리고 기대감이 골고루 담긴 내용이 담겼습니다. 4년의 평가 설문을 통계로 거침없이 발표하네요. 마지막으로 나온 졸업생 발표는 감동 그 자체였습니다.

우리 학교는 우리 아이들의 졸업 후 삶에 관심을 기울입니다. 그건 무슨 대학에 입학했느냐가 아니라 바로 혁신학교 철학이 그들의 삶에 어떻게 스며들었는가를 보자는 거지요. 그런데 교사의 꿈을 가진 이 친구. 자신에게는 이런 목표가 생겼다네요.

"함께 가자."

"같이 하자."

"소외되지 않는"

혁신학교가 계속 가야 할 이유를 확인하는 시간이었습니다. 우리 콘퍼런스는 설렘으로 시작해서 감동으로 끝났습니다. 너무나도 고마운 시간이었습니다.

'망원경' 같은 학교

"작은 학교에서 더 큰 사회를 만들어 나가는 학교가 되는 것이 우리 학교의 목표입니다."

인창고 혁신학교 콘퍼런스에서 토론하는 가운데 나온 말입니다.

우리 학교에서 3년을 지낸 졸업생들의 자유토론 영상을 보고 학생들은 많은 생각을 한 것 같습니다.

"인창고의 자율성이 좋다고 생각하고 학교가 학생들이 편안하도록 만들어 주는 것 같다."

"인창아카데미와 드림비전특강을 다양하게 접하면서 진로 설정에 도움이 많이 되었다고 생각했고, 선생님과 책 읽기 등 몰랐던 활동도 알게 되었다."

"통합기행 프로그램이 진행하기 힘들어서 좀 부정적이었는데 이 영상을 보고 반성하게 되었다."

하긴 졸업생들도 비슷한 말을 했습니다. 학교 다닐 때는 그냥 정신없이 여러 교육활동에 참여했는데, 졸업하고 대학에 가보니 활동하기를 잘했다는 말이죠.

저는 콘퍼런스 이후 영 기운을 차리지 못하고 한 달을 보냈습니다. 일부러 멀리 오셔서 점심을 사주시며 평생을 열정적으로 열심히 하는 사람이라는 말씀을 건네주신 어느 교육장님, 식욕도 못 느끼겠다는 제 말에 의욕이 사라진 거라는 말로 토닥여 준 아내. 그래서 이제 다시 기운 내어 7월을 보내려고 합니다.

그러자 우리 아이들의 모습이 다시 사랑스럽게 다가옵니다.

우리 야구부 아이들이 남긴 사인입니다. 쓰고 나서는 수줍었는지 얼른 지웠던데, 제가 이렇게 사진으로 남긴 건 모를 겁니다. 이 친구들 자신의 꿈을 이루어 팬들에게 이렇게 사인을 해줄 때가 올 겁니다.

'7월 4일 월요일 상담 가능하세요?'

어느 친구는 제게 상담을 요청했네요.

'몇 시쯤? 시간 맞출게.'

이렇게 답장해 주었습니다.

방송반 기장은 새 프로그램을 기
획하여 첫 번째 인터뷰 대상으로 저
를 택했네요. 우리 학교에 있는 사
람들을 남기고 싶다는 의도라는데 설명하는 모습, 발성, 이 모든 게
이미 훌륭한 PD네요.

그 사이 학교에는 참 많은 활동이 있었습니다. 먼저 3학년 친구들
은 졸업 앨범 사진을 찍었습니다. 교정 여기저기가 다 무대였는데 자
기들 나름대로 아이디어를 내서 재밌는 사진을 찍더군요.

인창아카데미에서는 은유 작가님을 초청하여 미등록 이주아동 이
야기를 나누었습니다. 우리 아이들에게는 참 귀한 시간이었다고 합
니다.

일회용 용기를 쓰지 말자는 캠페인 활동인데요. 참여한 학생과 교직원들의 결과물이 전시되어 있습니다.

드림비전 특강으로 『파란하늘 빨간지구』의 저자이신 조천호 선생님을 모셨거든요. 선생님께서 남긴 사인입니다. 'unique' 하라는 말씀이 인상적입니다.

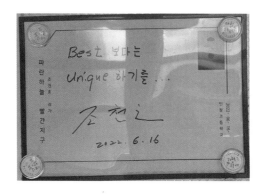

후배들을 위해 교육동아리 '단비' 친구들이 선택교과 설명을 안내했습니다. 예쁘지 않나요?

교과 안내를 위한 패들렛 주소		
연번	과목	주소
1	고전문학감상	https://padlet.com/211080315/e8r87vctnrluet4n
2	기하	https://padlet.com/211080315/2nc08u4cagpmxmey
3	실용영어	https://padlet.com/211080315/cnt8s3e0hgcbf9jf
4	일본어	https://padlet.com/211080315/9n54d3uvh0d3l319
5	중국어	https://padlet.com/211030829/4b616ai8kpg6m6be
6	프로그래밍	https://padlet.com/211030829/c02xn17jh1yw9hpe
7	문학적감성과상상학	https://padlet.com/211030829/o8qc53zp51vgnlyw

학생들의 진로 선택을 돕는 프로그램도 계속 진행됩니다. 경찰대학교 졸업생이 다녀갔고요. 한 학기를 마친 졸업생의 방문도 이어집니다.

2차 지필고사를 끝낸 우리 학교는 4일부터 방학하는 날까지 숲 과정이 운영됩니다. 숲 과정은 진로탐색을 도와주는 각종 프로그램이 집중적으로 진행이 됩니다. 특히 학교자율과정(16+1)도 마지막 주에 운영하는데 1, 2, 3학년이 다 참여합니다.

방학 기간에는 미라클 시리즈(자기주도학습)가 연결되어 학생들은 교과나 면접, 논술 등 보충수업을 합니다.

개학하자마자 3학년은 수시 체제로, 2학년은 통합기행을 떠나게 됩니다. 올해는 덴마크 학생들이 온다고 하니 우리 학교 가을도 바쁘게, 풍성하게 진행될 것 같습니다.

교정을 돌아보니 모과나무 열매가 주렁주렁 달렸습니다. 우리 아이들의 꿈도 그렇게 주렁주렁 달릴 겁니다.

마치며

    오늘 아침에도 교정은 평소와 다르지 않았습니다.

    하지만 제 가슴은 왜 이리 두근거릴까요? 새삼스럽고요. 아직 시간이 일러 학교 주차장은 비어 있습니다. 교정은 미처 새벽어둠이 걷히지 않았습니다.

    차 안에 머물러 학교 건물을 바라봅니다.

    지난 4년이 휙휙 지나갑니다.

    참으로 행복하고 귀한 시간이었습니다.

    그동안 우리 학교 교육공동체에서의 삶에 마침표를 찍으려 합니다. 하얀 눈 위에 비뚤배뚤 찍힌 발자국을 본 듯합니다. 얼굴이 화끈거리지만 제 발자국 옆에 함께 걸은 수많은 발자국이 있어 그나마 안심이 됩니다. 함께 걸은 분들이 계셨기에 여기까지 왔네요.

    지난 4년을 돌아보니 우리 삶은 대부분 코로나19와 함께 보냈네요. 다들 처음 겪는 일이니 이거야말로 집단지성이 필요했고, 대처는 빠르고 확실해야 했습니다. '헤어질 결심'을 하는 이 순간에도 진행 중입니다. 우스갯소리로 마스크를 벗으면 못 알아볼 거라는 말을 하지만, 정말 많은 시간을 우리는 마스크 쓴 얼굴로 만났네요. 조마조마한 순간들을 참 무난하게, 큰 혼란 없이 잘 넘어갔지요. 그럼에도 불구하고 교육활동을 풍부하고 충실하게 하자며 동분서주하시던 선생님들 모습이 떠오릅니다. 코로나19는 우리 학교 공동체의 저력이 잘 드러났던 외부 자극이었습니다. 이런 힘에서 우리 학교의 힘, 인창의 저력을 보게 됩니다.

지난 4년을 어떻게 정리할 수 있을까요?
우리는 '학교 교육과정 다시 세우기에 집중(인창고 아름다운 숲 교육과정) → 자유로운 의사소통으로 학교민주주의 확립(3주체 협의 활성화) → 학교 공간 재배치(체육관, 학교 식당, 학생휴게실, 홈베이스)'로 정리할 수 있겠군요. 우리는 학교에서 가장 필요한 부분에서 시작하여 이를 학교 문화로 확장하였고 이 과정에서 사람과 맥락을 중요하게 살폈습니다.
학교는 그 학교가 필요로 하는 방향이 있습니다. 무엇, 어떻게를 함께 고민하고 이를 실천해야 합니다. 결국 남는 것은 교육공동체의 변화(성장)입니다.

우리 학교의 4년은 다섯 가지의 열매로 정리할 수 있습니다.

1. 학교교육과정 세우기(아름다운 숲 교육과정)
'진단-실행-성취-성찰과 피드백-성장(학교문화로 정착)' 과정으로 진행된 우리 학교 교육과정은 다양한 협의와 정확한 정보를 공유하여 기본방향, 중점추진과제, 아름과정(창체), 다운과정(교과), 숲과정(진로 탐색)으로 체계화한 교육활동, 기초교과와 탐구교과 그리고 창의융합 교과와 학교특성교과가 상호보완하는 교과 편성, 입학 후 3개년 교수 학습을 담았습니다.

2. 진로와 연계되는 다양한 교육활동

덴마크 류슨스틴 고교와 국제교류를 비롯하여 지역사회와 연계한 다양한 교육활동, 동아리 오픈랩, 인창아카데미, 드림특강 등으로 학생들이 주도하는 교육활동 그리고 팀프로젝트 활동과 학생들의 활동이 주가 되는 수업으로 '자존감, 호기심, 책임감, 자주성, 삶과 연계'라는 5대 역량을 기르는 시스템을 갖추었습니다.

3. 3주체가 만들어 가는 행복한 학교

학생, 학부모, 교사 대표들이 한 자리에 모여 학교 운영 전반을 협의하고 실행하는 3주체협의회는 어느새 우리 학교의 자랑이 되었습니다. 특히 코로나 위기를 극복하는 과정에서 3주체 협의회는 큰 힘이 되었습니다.

4. 자율성과 확장성을 믿는 공동체

스스로 하는 힘은 자율성을 바탕으로 빛을 발합니다. 이는 다시 확장성을 갖게 되고요. 공동체 모두가 자율성을 바탕으로 주체적으로 움직입니다. 그러다 보니 성과는 우리 예측을 훨씬 뛰어넘었지요. 온라인 국제교류과정은 물론이고요. 교사들이 분기별로 진행한 수업나눔에서 성찰은 우리를 한 단계 더 성장하게 하였습니다.

5. 국내·외 연구자들의 관심

우리 학교에 대한 관심은 해외나 국내에서도 참 높았습니다. 해외에 계신 분들은 직접 방문하거나 온라인으로 우리 학교에 대한 궁금증을 해소하였습니다. 국내에 계신 많은 연구자께서도 방문하셨고요.

저에게 우리 학교 자랑거리를 하나만 들라고 한다면 바로 '사람'이라고 말씀드릴 수 있습니다. 인창고에서는 교직원은 물론이고 학부모님, 학생 모두가 서로에게 시선이 가 있습니다. 이런 분들과 함께 한 시간이 소중하고 자랑스러울 수밖에요. 다른 모든 것은 사라지더라도 여기에서 만난 사람들은 영원히 기억할 것입니다. 시간이 흘러 그 기억도 아스라이 멀어지더라도 부드러웠던 그 느낌은 그대로 남을 것입니다.

최근에 저를 만나는 사람들이 공통으로 하는 말이 있습니다.

"행복해 보입니다."

좋은 사람들과 함께, 하고 싶은 일을 했는데 당연히 행복하게 보이겠지요. 저는 사람을 더 믿을 수 있게 되었습니다. 이런 분들과 함께라면 무엇이든 상상 이상의 세계를 만날 수 있다는 것도요.

한 깨달음이 내 마음속으로 걸어 들어와, 내 모든 행동으로 옮겨지고, 그것이 다시 많은 사람에게 옮겨지는, 그 아름다운 감염의 경로를 생각한다.

어느 선생님께서 저에게 하신 말씀입니다. '아름다운 감염의 경로' 흔히 '선한 영향력'이라는 말과 같은 의미이겠죠.

인창고는 제 삶에 엄청난 '선한 영향력'을 미친 곳입니다.

새로운 세계에 들어가더라도 저는 인창고에서 받은 선한 영향력, 그 에너지를 스며들듯이 전할 것입니다. 여기서 만난 소중한 분들 모습을 그리워하면서 말이죠.

어느새 아침 햇살이 교정을 가득 채웠네요.

아이들 목소리가 들립니다.

저도 마지막 날을 시작해야겠습니다.